Майкл Каннингем
Снежная королева

Michael Cunningham
Snow Queen

Майкл Каннингем
Снежная королева

Роман

Перевод с английского
Дмитрия Карельского

издательство **АСТ**

Москва

УДК 821.111-31(73)
ББК 84(7Сое)-44
К19

Художественное оформление и макет Андрея Бондаренко

Каннингем, Майкл.

К19   Снежная королева : роман / Майкл Каннингем ; пер. с англ. Д. Карельского. — Москва : АСТ : CORPUS, 2015. — 352 с.

ISBN 978-5-17-087297-8

Герои романа "Снежная королева" — братья Баррет и Тайлер, истинные жители богемного Нью-Йорка, одинокие и ранимые, не готовые мириться с утратами, в вечном поиске смысла жизни и своего призвания. Они так и остались детьми — словно герои сказки Андерсена, они блуждают в бесконечном лабиринте, пытаясь спасти себя и близких, никого не предать и не замерзнуть. Особая роль в повествовании у города, похожего одновременно на лавку старьевщика и неизведанную планету, исхоженного вдоль и поперек — и все равно полного тайн. Из места действия Нью-Йорк незаметно превращается в действующее лицо, причем едва ли не главное.

Майкл Каннингем, автор знаменитых "Часов" и "Дома на краю света", вновь подтвердил свою славу одного из лучших американских прозаиков, блестящего наследника модернистов. Тонко чувствующий современность, Каннингем пытается уловить ее ускользающую сущность, сплетая прошлое и будущее, обыденное и мистическое в ярком миге озарения.

УДК 821.111-31(73)
ББК 84(7Сое)-44

Посвящается Билли Хау

Холодно и пустынно было в просторных чертогах Снежной королевы. Их освещало северное сияние, оно то вспыхивало ярче в небесах, то вдруг слабело. Посреди самой большой и пустынной снежной залы лежало замерзшее озеро. Лед на нем раскололся на тысячи кусков, на удивление ровных и правильных. Посреди озера, когда бывала дома, восседала на троне Снежная королева. Озеро она называла "Зеркалом Разума" и говорила, что это лучшее и единственное зеркало в мире.

ХАНС КРИСТИАН АНДЕРСЕН
"Снежная королева"

Вечер

Баррет Микс узрел небесный свет над Центральным парком четыре дня спустя после того, как был в очередной раз брошен. Любовь и прежде, разумеется, награждала его оплеухами, но никогда еще они не имели форму пяти строчек текста, притом что пятая состояла из убийственно формального пожелания удачи и завершалась тремя строчными иксами, типа поцелуйчиками.

Четыре дня Баррет изо всех сил старался сохранить присутствие духа перед лицом череды расставаний, которые, как виделось ему теперь, с каждым разом оказывались все немногословнее и прохладнее. Когда ему было двадцать — двадцать пять, его романы обычно завершались рыданьями и шумными ссорами, будившими соседских собак. Однажды у них с без пяти минут бывшим возлюбленным дошло до кулачной драки (у Баррета по сю пору стоит в ушах грохот опрокинутого стола и неровный стук, с каким мельничка для перца покатилась по половицам). В другой раз была громкая перебранка посреди Барроу-стрит, разбитая в сердцах бутылка (при слове "влюбиться" Баррет до сих пор с неизбежностью вспоминает осколки зеленого стекла, поблескивающие на асфальте в свете уличного фонаря) и старушечий голос — ровный и нескандальный, какой-то устало-материнский, — раздавшийся откуда-то из темноты первых этажей: "Ребятки, здесь же люди живут, и им спать хочется".

После тридцати и дальше, ближе к сорока, расставания стали напоминать переговоры о расторжении деловых отношений. Боли и взаимных упреков хватало по-прежнему, но надрыва заметно поубавилось. Да, мол, что поделаешь — мы возлагали на совместные инвестиции большие надежды, но они, увы, не оправдались.

Этот последний разрыв, однако, был первым, о котором он узнал из эсэмэски, нежданных и нежеланных прощальных слов, всплывших на экране размером с кусочек гостиничного мыла. *Баррет привет ты сам наверно все уже понял. Мы ведь сделали уже все что от нас зависело?*

Баррет, собственно, не понял ничего. До него, естественно, дошло — любви больше нет, как нет и подразумевавшегося ею будущего. Но вот это *ты сам наверно все уже понял...* Все равно как если бы дерматолог сказал тебе непринужденно после рутинного ежегодного осмотра: *вы, наверно, уже сами поняли, что вот эта вот родинка на щеке, это очаровательное темно-шоколадное пятнышко, которое, как многие справедливо считают, только добавляет вам привлекательности (не помню, кто это мне рассказывал, что Мария-Антуанетта рисовала себе мушку точно на том же самом месте?), так вот, эта родинка — это рак кожи.*

Ответил Баррет тоже эсэмэской. И-мейл, он решил, выглядел бы в этой ситуации слишком старомодно, а телефонный звонок — чересчур драматично. На крошечной клавиатуре он набрал: *Как-то это внезапно, может нам лучше встретиться поговорить. Я на месте, ххх.*

К концу второго дня Баррет успел отправить еще две эсэмэски и оставить два голосовых сообщения. Следующую за вторым днем ночь он боролся с желанием оставить еще одно. К вечеру третьего дня он не только не получил ответа, но и начал осознавать, что ждать бессмысленно; что ладно сложенный канадец, аспирант-психолог из Колумбийского университета, с которым Баррет пять месяцев делил постель, стол и шутливые беседы, мужчина, сказавший: "Видно, все-таки я тебя люблю", когда Баррет, сидя в одной с ним ванне, прочитал наизусть *Ave Maria* Фрэнка О'Хары, и знавший, как называются все деревья в Адирондакских горах, где они вместе провели тот уик-энд, — что этот человек пошел дальше своим путем, уже без него; что Баррет остался стоять на платформе, недоумевая, как это он умудрился не успеть на поезд.

Желаю тебе счастья и удачи в будущем. xxx.

Вечером четвертого дня Баррет шел через Центральный парк, возвращаясь от дантиста, визит к которому, с одной стороны, угнетал его своей банальностью, но зато, с другой, мог сойти за проявление мужества. Избавился от меня пятью пустыми и обидно безличными строчками — ну и пожалуйста! *(Очень жаль, что у нас не получилось, но мы ведь оба сделали все, что от нас зависело.)* Не стану же я из-за тебя пренебрегать уходом за зубами. Лучше я узнаю — с радостью и облегчением узнаю, — что на данный момент в депульпации корневого канала необходимости нет.

И тем не менее мысль о том, что ему больше никогда не принесет радости чистое и беззаботное очарование этого парня, так похожего на юных, гибких и невинных атлетов с восхитительных картин Томаса Икинса; что ему никогда больше не видеть, как, перед тем как лечь, он стягивает с себя трусы, как невинно восторгается приятными пустяками вроде сборника Леонарда Коэна, который Баррет записал для него на кассету и назвал "Почему бы тебе не покончить с собой", или победы "Нью-Йорк рейнджерс", — мысль эта казалась ему абсолютно невозможной, противоречащей всем законам физики любви. Несовместим с ними был и тот факт, что Баррету, скорее всего, так никогда и не узнать, что же всему виной. В последний месяц или около того у них несколько раз вспыхивали перепалки, случались неловкие паузы в разговоре. Но Баррет объяснял это для себя тем, что их отношения вступают в новую фазу, видел в мелких размолвках ("Хоть иногда можно постараться не опаздывать? Почему я должен отдуваться за тебя перед своими друзьями?") признаки крепнущей близости. Он даже отдаленно не мог вообразить, как в одно прекрасное утро обнаружит, проверив входящие эсэмэс, что любви конец и ее не жальче, чем пару потерянных солнечных очков.

Тем вечером, когда ему было явление, Баррет, обнадеженный благополучным состоянием корневого канала и клятвенно пообещавший еще регулярнее использовать зубную нить, пересек Большую лужайку и уже подходил к залитому светом айсбергу музея "Метрополитен". С деревьев капало, Баррет с хрустом продавливал подошвами серебристо-серый наст, срезая напрямую к станции шестой линии подземки, и радовался, что скоро окажется дома с Тайлером и Бет, радовался, что они его ждут. Все его тело онемело, словно от новокаинового укола. Голову занимала мысль, не превращается ли он к своим тридцати восьми годам из героя трагической страсти, из юродивого ради любви в менеджера среднего звена, который, провалив одну сделку (да, компания понесла некоторый урон, но отнюдь не катастрофический), принимается за подготовку следующей, возлагая на нее не меньшие, разве что чуть более реалистичные надежды. Ему больше не хотелось подниматься в контратаку, наговаривать часовые сообщения на автоответчик, подолгу выстаивать на страже у подъезда бывшего возлюбленного, притом что десять лет назад он все это непременно проделывал — Баррет Микс был стойким солдатом любви. А теперь он старел и терпел утрату за утратой. Даже сподобься он на жест ярости и страсти, то оказалось бы, что он всего лишь хочет утаить, что он банкрот, что окончательно сломлен, что... послушай, брат, мелочью не выручишь?

Баррет шагал, низко склонив голову — не от стыда, а от усталости; она как будто была слишком тяжела, чтобы нести ее прямо. На снегу перед глазами мелькала его собственная голубовато-серая тень, она скользнула по сосновой шишке и по рунической россыпи сосновых иголок, по блескучей обертке от шоколадного батончика "О, Генри!" (разве их до сих пор выпускают?), с шуршанием уносимой порывом ветра.

В какой-то момент микроландшафт у него под ногами — слишком студеный и прозаичный — утомил Баррета. Он поднял тяжелую голову, посмотрел вверх.

И увидел лучащуюся бледным, неверным светом зеленовато-голубую вуаль; она зависла на высоте звезд, или нет, все-таки пониже, но все равно высоко, выше проплывавшей над силуэтами деревьев светящейся точки спутника. Сияющая вуаль то ли медленно увеличивалась, то ли нет; ярче посередине, она бледнела к рвано-кружевным краям.

Баррет решил было, что видит приблудившееся северное сияние, не самое частое зрелище в Центральном парке, но, пока он стоял на протянувшейся по льду полоске света от фонаря, горожанин в пальто и шарфе, печальный и разочарованный, но в остальном вполне заурядный, пока смотрел на небесный свет, о котором, думал он, сейчас рассказывают в новостях по всем каналам, пока прикидывал, что лучше — любоваться диковинкой в одиночку или пойти остановить прохожего, чтобы удостовериться, что тот тоже видит этот свет, — вокруг были другие люди, черные силуэты, расставленные там и тут по Большой лужайке…

Он стоял так, оцепенев от неопределенности, в желтых "тимберлендах", и вдруг понял — точно так же, как он смотрит на небесный свет, тот сверху смотрит на него.

Нет, не смотрит. *Созерцает.* Как, представилось ему, кит может созерцать пловца — со степенно-царственным и абсолютно бесстрашным любопытством.

Он чувствовал на себе внимание этого света — оно передалось ему коротким электрическим импульсом; несильный ток приятно пронизал его тело, согрел и даже как будто осветил его изнутри, отчего кожа стала светлее, чем была, — ненамного, на тон или два; она фосфоресцировала, но очень естественно, без синевато-газовых оттенков, а как если бы несомый кровью свет чуть прихлынул к коже.

А потом свет рассеялся — рассыпался в стайку бело-голубых мерцающих искр, которые казались живыми, словно это было игривое дитя флегматичного исполина. Потом и искры померкли, и небо снова стало таким, каким бывает всегда.

Баррет еще немного постоял, глядя в небо, как на экран телевизора, который внезапно погас, но еще может каким-то чудом включиться вновь. Небо, однако, демонстрировало лишь привычную свою подпорченную тьму (огни Нью-Йорка замазывают ночную черноту серым) да редкую россыпь самых ярких звезд. И Баррет двинулся дальше, домой, где в скромном уюте бушвикской[1] квартиры его ждали Бет и Тайлер.

А что еще, собственно, ему было делать?

---

1 Бушвик — район в Бруклине, на границе с Квинсом. — *Здесь и далее — прим. перев.*

Ноябрь 2004

В спальне Тайлера и Бет идет снег. Снежинки — плотные студеные крупинки, а совсем не хлопья, в неверном сумраке раннего утра скорее серые, а не белые, — кружась, падают на пол и на изножье кровати.

Тайлер просыпается, сон сразу же почти бесследно улетучивается — остается только ощущение тревожной, чуть нервной радости. Он открывает глаза, и в первый момент рой снежинок в комнате кажется ему продолжением сна, ледяным свидетельством небесной милости. Но потом становится ясно, что снег настоящий и что его надуло в окно, которое они с Бет оставили открытым на ночь.

Бет спит, свернувшись калачиком, у Тайлера на руке. Он бережно высвобождает из-под нее руку и встает закрыть окно. Ступая босиком по тонко заснеженному полу, идет сделать то, что следует сделать. Ему приятно сознавать собственное благоразумие. В Бет Тайлер встретил первого человека в своей жизни еще более непрактичного, чем он сам. Проснись Бет сейчас, она наверняка попросила бы не закрывать окно. Ей нравится, когда их тесная, забитая вещами спальня (стопки книг и сокровища, которые Бет все тащит и тащит в дом: лампа в виде гавайской танцовщицы, которую в принципе еще можно починить; обшарпанный кожаный чемодан; пара хлипких, тонконогих стульев) превращается в игрушку — рождественский снежный шар.

Тайлер с усилием закрывает окно. В этой квартире все какое-то неровное и перекошенное. Если на пол посреди гостиной уронить стеклянный шарик, он укатится прямиком к входной двери. В последний момент, когда Тайлер уже почти опустил оконную раму, в щель с улицы врывается отчаянный снежный заряд — словно бы спешит использовать последний шанс… Шанс на что?.. На то, чтобы оказаться в убийственном для него тепле спальни? Чтобы успеть впитать жар и растаять?

С этим последним порывом в глаз Тайлеру залетает соринка или, может быть, не соринка, а микроскопический кусочек льда, совсем крошечный, не больше самого мелкого осколка разбитого зеркала. Тайлер трет глаз, но соринка не выходит, она прочно засела у него в роговице. И вот он стоит и смотрит — одним глазом видно нормально, второй совсем затуманен слезами, — как снежная крупа бьется в стекло. Самое начало седьмого. За окном белым-бело. Слежавшиеся сугробы, которые день за днем росли по периметру парковки и походили раньше на невысокие серые горы, присыпанные тут и там блестками городской копоти, теперь сияют белизной, как на рождественской открытке; хотя нет, чтобы получилась настоящая рождественская открытка, надо особенным образом сфокусировать взгляд, удалить из поля зрения светло-шоколадную цементную стену бывшего склада напротив (на ней до сих пор потусторонней тенью проступает каллиграфически начертанное слово "цемент", как будто это строение, так давно заброшенное людьми, напоминает им о себе, шепча выцветшим голосом свое имя) и тихую, не отошедшую еще ото сна улицу, над которой сигнальным файером моргает и жужжит неоновая буква в вывеске винного магазина. Даже мишурные декорации этого призрачного, малолюдного квартала, где из-под окон у Тайлера уже год никак не уберут остов сгоревшего "бьюика" (ржавый, выпотрошенный, расписанный граффити, он выглядит причудливо-благостно в своей абсолютной ненужности), одеваются в предрассветном сумраке лаконично-суровой красотой, дышат поколебленной, но не убитой надеждой. Да, и в Бушвике так бывает. Валит снег, густой и безукоризненно чистый, — и есть в нем что-то от божественного дара, как если бы компания, поставляющая в кварталы получше тишину и согласие, в кои-то веки ошиблась адресом.

Когда не сам выбираешь место и образ жизни, полезно уметь благодарить судьбу даже за скромные милости.

А Тайлер как раз не выбирал этот мирно обнищавший район складов и парковок, где стены зданий отделаны древним алюминиевым сайдингом, где при строительстве думали только о том, как подешевле, где мелкие предприятия и конторы едва сводят концы с концами, а присмиревшие обитатели (в большинстве своем это доминиканцы, которые приложили немало сил, чтобы попасть сюда, и наверняка питали более смелые надежды, чем те, что сбываются в Бушвике) послушно тащатся на работу или с работы, самой что ни на есть грошовой, и весь их вид говорит о том, что бороться дальше бессмысленно и надо довольствоваться тем, что есть. Здешние улицы уже и не особенно опасны, время от времени кого-нибудь по соседству, конечно, грабят, но как будто нехотя, по инерции. Когда стоишь у окна и смотришь, как снег обметает переполненные мусорные баки (мусоровозы лишь изредка и в самые непредсказуемые моменты вспоминают, что сюда тоже стоит заглянуть) и скользит языками по растресканной мостовой, трудно не думать о том, что ждет этот снег впереди, — о том, как он станет бурой слякотью, а из нее ближе к перекресткам образуются лужи по щиколотку глубиной, где будут плавать окурки и комочки фольги от жвачки.

Надо возвращаться в постель. Еще одна сонная интерлюдия — и кто знает, может статься, что мир, в котором проснется Тайлер, окажется еще чище, будет укрыт поверх праха и тяжких трудов еще более плотным белым покрывалом.

Но ему муторно и тоскливо и не хочется в таком состоянии ложиться. Отойдя сейчас от окна, он уподобится зрителю тонкой психологической пьесы, которая не получает ни трагического, ни счастливого финала, а постепенно сходит на нет, пока со сцены не исчезнет последний актер и публика наконец не поймет, что представление окончено и пора расходиться по домам.

Тайлер обещал себе сократить дозу. Последние пару дней это у него получалось. Но сейчас, именно в эту минуту, возникла ситуация метафизической необходимости. Состояние Бет не ухудшается, но и не улучшается. Никербокер-авеню послушно застыла в нечаянном великолепии, перед тем как снова покрыться привычными грязью и лужами.

Ладно. Сегодня можно сделать себе поблажку. Потом он снова с легкостью возьмет себя в руки. А теперь ему необходимо поддержать себя — и он поддержит.

Тайлер подходит к прикроватной тумбочке, достает из нее пузырек и вдыхает из него по очереди каждой ноздрей.

Два глотка жизни — и Тайлер мигом возвращается из ночного сонного странствия, все вокруг снова обретает ясность и свой смысл. Он снова обитает в мире людей, которые соперничают и сотрудничают, имеют серьезные намерения, горят желанием, ничего не забывают, идут по жизни без страхов и сомнений.

Он снова подходит к окну. Если та принесенная ветром льдинка действительно вознамерилась срастись с его глазом, то ей это удалось — благодаря крошечному увеличительному зеркальцу он все теперь видит гораздо яснее.

Внизу перед ним все та же Никербокер-авеню, и скоро к ней вернется обычная ее городская безликость. Не то чтобы Тайлер на время об этом забыл — нет-нет, просто неминуемо грядущая серость ничего не значит, вроде того как Бет говорит, что морфий не убивает боль, а отодвигает ее в сторону, превращает в некий вставной номер шоу, необязательный, непристойный (А вот, поглядите, мальчик-змея! А вот женщина с бородой!), но оставляющий равнодушным — мы-то знаем, что это обман, дело рук гримера и реквизитора.

Боль самого Тайлера, не такая сильная, как у Бет, отступает, кокаин высушивает нутряную сырость, от которой искрили провода у него в мозгу. Бьющий по ушам фуз брутальная магия мгновенно переплавляет в кристальной чистоты и ясности звук. Тайлер облачается в привычное свое платье, и оно садится на нем как влитое. Зритель-одиночка, в начале двадцать первого века он стоит голышом у окна, грудь его полнится надеждой. В этот миг ему верится, что все в жизни неприятные сюрпризы (ведь он совсем не рассчитывал, что будет к сорока трем годам безвестным музыкантом, живущим в пронизанном эротикой целомудрии с умирающей женщиной и в одной квартире с младшим братом, который мало-помалу превратился из юного волшебника в усталого немолодого фокусника, в десятитысячный раз выпускающего из цилиндра голубей) складно ложатся в некий непостижимый замысел, слишком громадный для того, чтобы его понять; что в осуществлении этого замысла сыграли свою роль все упущенные им возможности и проваленные планы, все женщины, которым самой малости не хватало до идеала, — все то, что в свое время казалось случайным, но на самом деле вело его к этому окну, к нынешней непростой, но интересной жизни, к неотвязным влюбленностям, подтянутому животу (наркотики этому способствуют) и крепкому члену (тут они не при чем), к скорому падению республиканцев, которое даст шанс народиться новому, холодному и чистому миру.

В том новорожденном мире Тайлер возьмет тряпку и уберет с пола нападавший снег — кому, кроме него, этим заняться? Его любовь к Бет и Баррету станет еще чище, еще беспримеснее. Сделает так, чтобы они ни в чем не нуждались, возьмет дополнительную смену в баре, воздаст хвалу снегу и всему тому, чего снег коснется. Он вытащит их троих из этой унылой квартиры, достучится неистовой песнью до сердца мирозданья, найдет себе нормального агента, сошьет расползшуюся ткань, не забудет замочить фасоль для кассуле, вовремя отвезет Бет на химиотерапию, начнет меньше нюхать кокс, а с дилаудидом[1] завяжет совсем и дочитает на-

---

1   *Дилаудид* — наркотический анальгетик, производное морфина.

конец "Красное и черное". Он крепко сожмет в объятьях Бет и Баррета, утешит, напомнит, что в жизни очень мало вещей, о которых действительно стоит беспокоиться, будет кормить их и занимать рассказами, которые шире откроют им глаза на самих себя.

Ветер переменился, и снег за окном стал падать иначе, как если бы некая благая сила, некий громадный невидимый наблюдатель предугадал желание Тайлера мгновением раньше, чем тот понял, чего желает, и оживил картину — ровно и неспешно падавший снег вдруг вспорхнул трепещущими лентами и принялся чертить карту завихрений воздушных потоков; и тут — ты приготовился, Тайлер? — настает момент выпустить голубей, вспугнуть пять птиц с крыши винного магазина и почти сразу же (ты следишь?) развернуть их, посеребренных первым светом зари, против снежных волн, набегающих с запада и несущихся к Ист-Ривер (ее неспокойные воды вот-вот пробороздят укутанные белым, словно сделанные изо льда баржи); а в следующий миг — да, ты угадал — приходит время погасить фонари и выпустить из-за угла Рок-стрит грузовик с не потушенными пока фарами и гранатово-рубиновыми сигнальными огоньками, мигающими у него на плоской серебряной крыше, — само совершенство, восхитительно, спасибо.

Баррет, голый по пояс, бежит сквозь снегопад. Грудь раскраснелась, дыхание вырывается клубами пара. Спал он мало и беспокойно. А теперь вышел на пробежку. Это привычное ежеутреннее занятие успокаивает его, он приходит в себя, пока бежит по Никербокер-авеню, оставляя за собой облако собственных испарений, как паровоз, который проезжает сквозь непроснувшийся, укутанный снегом городок, хотя Бушвик бывает похож на город с положенной тому логикой устройства (тогда как в реальности представляет собой конгломерат разномастных зданий и заваленных строительным мусором пустырей без признаков разделения на центр и окраины) только рано утром, пока вокруг доживает последние минуты студеная тишина. Скоро на Флашинг-авеню откроются лавки и магазинчики, заблеют автомобильные гудки и городской сумасшедший — давно не мытый пророк, светящийся безумием не хуже самых исступленных и преуспевших в плотской аскезе святых, — с привычной прилежностью часового займет свой пост на углу Никербокер и Рок. Но пока ничто не нарушает тишины. Улица только-только глухо выползает из сна, в котором не было сновидений, редкие машины пробираются по ней, взрезая светом фар пелену снегопада.

Снег идет с полуночи. Он все сыплет и кружит, пока день постепенно вступает в свои права и небо незаметно для глаз меняет ночной черновато-коричневый окрас на прозрачно-серый бархат раннего утра, того мимолетного промежутка времени, когда нью-йоркский небосвод кажется непорочным.

Вчера вечером небо пробудилось, открыло глаз — и увидело всего-навсего Баррета Микса, который шел себе домой в приталенном двубортном пальто ледяною равниной Центрального парка, а потом взял да и остановился. Небо взглянуло на него, отметило факт его существования и вновь смежило веки, чтобы, как подсказывало Баррету воображение, погрузиться в более сокровенные видения — пламенные сны о полете по спиралям галактики.

Страшно — а вдруг вчера ничего особого не произошло, а всего-то, как это случается время от времени, на мгновение ненароком приоткрылся небесный занавес. И считаться избранным у Баррета не больше оснований, чем у горничной — собираться замуж за старшего из хозяйских сыновей только потому, что она видела, как он голышом идет в ванную, думая, что в коридоре никого.

А еще страшно от мысли, что вчерашнее явление полно смысла, но разгадать его нет никакой возможности, хотя бы даже приблизительно. На памяти Баррета, католика, бесповоротно сбившегося с пути уже в начальных классах (рельефные брюшные мышцы и бицепсы мраморного, в серых венах-прожилках Христа над входом в школу Преображения Господня заводили его не на шутку), даже самые упертые монашки не рассказывали о божественных видениях, которые случались бы вот так ни с того ни с сего, вне всякого контекста. Видения суть ответы. А для ответа нужен вопрос.

Нет, вопросов у Баррета, как у любого другого, полно. Но не таких, чтобы беспокоить оракула или пророка. Даже будь такая возможность, разве хотел бы он, чтобы посланец-апостол, пробежав в одних носках по едва освещенному неверными вспышками коридору, побеспокоил ясновидца вопросом типа: "Почему все бойфренды Баррета Микса оказываются козлами и садистами?" Или: "Существует ли такое занятие, к которому Баррет не охладеет даже через полгода?"

Если все-таки вчерашнее явление было неслучайным и небесный глаз открылся именно для Баррета — в чем заключался смысл этого благовестия? Что за путь назначил ему небесный свет, какого хотел от него поступка?

Дома Баррет спросил Тайлера, видел ли он это (Бет была в постели, ее все крепче держала на орбите растущая гравитация сумеречной зоны). Услышав в ответ от Тайлера: "Видел что?", Баррет понял, что ему не хочется рассказывать о небесном свете. У этого нежелания имелось вполне рациональное объяснение — кому надо, чтобы старший брат держал тебя за чокнутого? Но дело скорее было в том, что Баррет ощущал необходимость хранить тайну, как если бы получил об этом молчаливый приказ.

Потом он смотрел новости.

Ничего. Рассказывали про выборы. Про то, что Арафат при смерти; что факты пыток в Гуантанамо подтвердились; что капсула с долгожданными частицами солнечного вещества разбилась о землю, потому что не раскрылся тормозной парашют.

Но ни один из этих ведущих с квадратной челюстью не бросил проникновенный взгляд в объектив камеры со словами: *сегодня вечером взор Божий обратился на землю...*

Баррет принялся готовить ужин (Тайлер в такие дни едва ли помнит, что людям надо время от времени есть, а Бет слишком больна). Тут он даже позволил себе задуматься о том, в какой момент последний его возлюбленный стал бывшим. Может быть, во время того ночного телефонного разговора, когда Баррет, который понимал это уже тогда, слишком долго рассказывал про чокнутого покупателя, желавшего, прежде чем купить пиджак, непременно получить доказательства, что при его пошиве не пострадало ни одно животное, — ведь Баррет бывает порой занудой, да? Или все случилось тем вечером, когда он выбил с бильярдного стола биток и та лесбиянка сказала ту гадость про него своей подруге (ведь и неловко за Баррета тоже иногда бывает).

Но слишком долго раздумывать о собственных загадочных оплошностях у него не вышло. Мысли возвращались к невообразимому зрелищу, которого, судя по всему, никто, кроме него, не видел.

Он приготовил ужин. Он попытался продолжить список предполагаемых причин того, что его бросили.

А теперь, на следующее утро, он вышел на пробежку. С чего бы ему изменять привычке?

Ровно в мгновение, когда он перепрыгивает замерзшую лужу на углу Никербокер и Темз, гаснут уличные фонари. После того как ему накануне явился совсем другой свет, он ловит себя на том, что в его фантазии возникает связь между прыжком и выключением фонарей, ему представляется, что это он, Баррет, велел им выключиться, оттолкнувшись ногой от асфальта, как будто одинокий бегун на привычной трехмильной дистанции может стать зачинщиком нового дня.

Вот и вся разница между сегодня и вчера.

Тайлера так и подмывает забраться на подоконник. Нет, не чтобы покончить с собой. Ни хрена не для того. Да даже если бы он и подумывал о самоубийстве — тут же всего второй этаж. В лучшем случае сломает ногу — ну или треснется о мостовую головой и заработает сотрясение мозга. И обернется все убогой выходкой, бездарной пародией на устало-вызывающее, обреченно-деликатное решение произнести: *с меня хватит*, — и ретироваться с подмостков. У него нет ни малейшего желания с ерундовым вывихом и парой ссадин распластаться в неловкой позе на тротуаре после прыжка в бездну глубиной от силы футов двадцать.

Хочется ему не покончить с собой, а погрузиться в метель, всего себя целиком подставить жалящим ударам ветра и снега. Большой недостаток этой квартиры (их у нее хватает) заключается в том, что надо выбирать: либо ты внутри и смотришь наружу в окно, либо снаружи и снизу с улицы смотришь на ее окна. А как бы прекрасно, как здорово было бы обнаженным отдаться на волю погодной стихии, полностью подчиниться ей.

В итоге его хватает лишь на то, чтобы как можно дальше высунуться из окна — и довольствоваться ударами морозного ветра в лицо и тем, как липнет к волосам снежная крупа.

После пробежки Баррет возвращается в квартиру, в ее тепло и ее ароматы: влажной древесиной сауны дышат старинные батареи отопления, особый больничный дух исходит от лекарств Бет, лакокрасочные полутона никак окончательно не улетучатся из комнат, как будто бы что-то в этой старой дыре по сю пору отказывается принять факт свершившегося ремонта, как будто само здание-призрак не хочет и не может поверить, что стены его больше не покрывает некрашеная прокопченная штукатурка, а комнаты не населены женщинами в длинных юбках, потеющими у плиты, пока мужья, вернувшись с фабрики, чертыхаются за кухонным столом в ожидании ужина. Недавно привнесенный смешанный запах краски и врачебного кабинета тонким поверхностным слоем ложится на густой первобытный дух жареного свиного сала, пота, семени, подмышек, виски и мокрой черной гнили.

В тепле квартиры у Баррета немеет обнаженная кожа. Бегая по утрам, он погружается в холод, сживается с ним, как пловец на длинные дистанции сживается с водой, и только по возвращении домой замечает, что окоченел. Он не комета, а человек, живое существо, и поэтому ему приходится возвращаться — в квартиру, на лодку, на космический корабль, — чтобы не сгинуть в убийственной красоте, в бесконечно холодном, безвоздушном и безмолвном пространстве, в испещренной и закрученной спиралями черноте, которую он с превеликой радостью называл бы своим настоящим домом.

Ему явился свет. Явился и тут же исчез, как нежеланное воспоминание церковного детства. В пятнадцать лет Баррет превратился в непоколебимого атеиста, какой может получиться только из бывшего католика. Много десятилетий с тех пор он жил без глупостей и предрассудков, без святой крови, доставляемой бандеролью с курьером, без священников с их нудной и бесплодной жизнерадостностью.

Но вчера он видел свет. И свет видел его.

И что теперь ему с этим делать?

А тем временем пора принять ванну.

По пути в ванную Баррет проходит комнату Тайлера с Бет; дверь в нее ночью распахнулась, как и все остальные двери и дверцы в этой перекошенной по всем направлениям квартиры. Баррет молча останавливается. Тайлер, голый, высунулся из окна, ему на спину и на голову падает снег.

Его фигура всегда восхищала Баррета. Они с Тайлером не очень похожи, меньше, чем ожидаешь от братьев. Баррет крупнее, не толстый (пока), но грузноватый, принц, колдовством обращенный не то в серо-рыжего волка, не то во льва, неотразимый (как ему нравилось думать) в своем чувственном лукавстве, послушно дожидающийся в дреме первого поцелуя любви. А Тайлер — он гибкий и жилистый, очень мускулистый. Даже в покое он похож на изготовившегося к прыжку воздушного гимнаста. Его худоба декоративна, при виде его тела — тела артиста — приходит на ум определение "щегольское". В таком теле для Тайлера естественно плевать на условности и источать приличествующую цирковому артисту дьявольщинку.

Мало кто с ходу понимает, что они братья. И тем не менее между ними есть непостижимая генетическая связь. Баррет в этом уверен, но не может объяснить, в чем она заключается. О том, чем Баррет с Тайлером похожи, известно только им двоим. Они обладают неким первобытным, физиологическим знанием друг о друге. Брат понимает мотивы брата, даже когда они озадачивают посторонних. И не то чтобы они никогда не спорили и не пытались обставить друг друга — нет, дело в том, что ни один из них ни при каких условиях не может делом или словом поставить в тупик другого. Кажется, будто давным-давно, даже не заводя на эту тему разговора, они договорились скрывать на людях свою близость, а для этого пикироваться на званых обедах, соперничать за внимание окружающих, походя оскорблять и игнорировать друг друга, то есть вести себя, как ведут самые обыкновенные братья, и оберегать тем временем свой целомудренный пылкий роман, как если бы они были членами крошечной, из них двоих состоящей секты, прикинувшимися мирными обывателями в ожидании дня, когда придет время действовать.

Тайлер оборачивается, смотрит назад, в противоположную от окна сторону. Он готов поклясться: сзади кто-то только что смотрел на него, и, хотя сейчас там никого, воздух за дверным проемом еще хранит память о растаявшей в нем фигуре.

И тут слышится звук пущенной в ванну воды. Баррет вернулся с пробежки.

Почему, с какой стати появление Баррета, когда бы и откуда бы он ни возвращался, по-прежнему каждый раз становится для Тайлера событием? Ведь, в конце концов, это же только Баррет, младший брат, толстый мальчишка, который прижал к груди чемоданчик для завтрака с "Семейкой Брейди"[1] на крышке и рыдает вслед уехавшему школьному автобусу; забавный увалень, которого каким-то чудом миновала участь, выпадавшая в школе всем — почти без разбору — конопатым толстякам; Баррет, бард из Харрисберга, штат Пенсильвания, который разыгрывал судебные заседания в школьном буфете; Баррет, с которым они в детстве без конца сражались за территорию и вели словесные перепалки, боролись за царственно переменчивое расположение матери; Баррет, чье тело известно ему доскональнее, чем даже тело Бет; Баррет, которого мощный и быстрый ум привел в Йель и который затем терпеливо объяснял Тайлеру — и больше никому на свете — безупречную логику своих последующих метаний: после университета он несколько лет колесил по стране (пересек в итоге двадцать семь границ между штатами), менял занятия (работал поваром в забегаловке, администратором в мотеле, подсобным рабочим на стройке), поскольку считал, что при избытке знаний ничего не умеет делать руками; был проституткой (всецело захваченный стихией романтики, слишком серьезно вознаме-

[1] *"Семейка Брейди"* — американский комедийный телесериал о многодетной семье (1969–1974).

рившийся стать современным Байроном, он счел необходимым пройти интенсивный экспресс-курс низких, животных аспектов любви); поступил в аспирантуру (*мне было полезно, да, очень полезно уяснить для себя, что невозможно погрузиться в безумную американскую ночь[1], не бывая в "Бургер Кинге" в Сиэтле — там это единственное место, открытое после полуночи*) и ушел из нее (*если я ошибался относительно жизни на колесах, это же еще не означает, что я ошибаюсь, когда не хочу посвятить остаток жизни изучению вводных слов у позднего Генри Джеймса*); затеял на пару с бойфрендом-компьютерщиком скоро провалившийся интернет-проект; вместе со следующим бойфрендом открыл кафе у парка Форт-Грин, ныне вполне процветающее, но вышел из дела после того, как оставленный им любовник-компаньон бросился на Баррета с обвалочным ножом; ну и так далее…

Все эти начинания казались в свое время либо просто удачно задуманными, либо (и тогда Тайлеру они нравились больше) основанными на баснословно причудливых идеях, на той экстравагантной алогичной логике, которая горстке вдохновенных прокладывает путь к величию.

---

1   *Безумная американская ночь* — часто цитируемое выражение из романа Дж. Керуака "В дороге" (1957).

Ни одно из них, впрочем, толком никуда пути не проложило.

И теперь Баррет, домашний многострадальный Кандид, Баррет, которому, казалось, было предопределено вознестись до головокружительных высот, а если нет, то сделаться героем подлинной трагедии, — этот самый Баррет совершает самый что ни на есть прозаический поступок: теряет съемную квартиру и, даже близко не располагая суммой на аренду новой, переезжает к старшему брату.

Баррет сделал то, чего от него меньше всего ожидали, — влился в число бесприютных ньюйоркцев, когда дом, где он обустроил свою скромную хоббичью норку, стал кооперативным.

Но, как бы то ни было, Баррет остается Барретом, которым Тайлер по-прежнему восхищается — на свой манер, негромко, но преданно.

Нынешний Баррет, тот, что льет сейчас воду в ванной, — это тот же самый Баррет, что долго слыл волшебным ребенком, пока более реальным кандидатом на звание волшебного не стал третий, нерожденный ребенок. Супруги Микс из Харрисберга, похоже, рано остановились, им следовало бы родить еще одного сына вдобавок к Тайлеру с его умением сосредоточиться, грацией атлета и редкостной музыкальной одаренностью (кому дано предугадать в самом начале, насколько велик будет твой дар?) и Баррету, который обладает массой невнятных талантов (он знает наизусть больше сотни стихотворений, без труда может прочесть достойный курс лекций по западной философии, если его вдруг об этом попросят, а прожив два месяца в Париже, практически свободно говорит по-французски), но неспособен сделать выбор и настоять на своем.

Баррет собирается принять ванну.

Тайлер дожидается, пока он закроет воду. Даже в отношениях с Барретом он придерживается некоторых формальностей. Тайлер запросто болтает с братом, когда тот лежит в ванне, но смотреть, как Баррет опускается в воду, он не может — на то у него есть веская неизъяснимая причина.

Тайлер достает из тумбочки пузырек, насыпает из него две дорожки, присаживается на край матраса и по очереди вдыхает. В этом нет ничего такого, абсолютно ничего, просто утренний заряд (да к тому же и последний, завтра утром уже ни-ни); он толкает тебя в объятия красоты, гонит прочь апатию и лень, выветривает из головы путаные остатки сна; вырывает из страны сновидений, из призрачного царства, в котором ты мешкаешь, подумывая, не уснуть ли снова, спрашиваешь себя, а зачем вообще просыпаться, ведь так славно было бы сейчас спать и спать.

Воды больше не слышно. Значит, Баррет уже залез в ванну.

Тайлер надевает вчерашние трусы-боксеры (черные, в горошек из крошечных белых черепов) и, миновав пространство коридора, открывает дверь ванной. Во всей квартире это наименее депрессивное помещение, из всех комнат только ванная за последнее столетие с лишним не подвергалась бесконечным ремонтам и переделкам. Остальные комнаты несут на себе память о множественных попытках сокрыть разрозненные фрагменты прошлого с помощью краски и дешевой отделки "под дерево", с помощью подвесного потолка (самый чудовищный элемент здешнего интерьера — рябые, грязно-белые квадратные панели, сделанные из не пойми чего — или, как кажется Тайлеру, из лиофилизированного горя) и ковролина, который покрывает линолеум, который покрывает рассохшийся в прах сосновый дощатый пол. И только ванная сохранила более или менее первозданный вид — на полу восьмиугольная кафельная плитка, на прежнем месте умывальник-стойка и унитаз с высоко поднятым бачком, у которого сбоку свисает цепочка для слива воды. Ванная, эти покои неприкосновенной старины, осталась единственным в квартире местом, избежавшим экономных подновлений жильцами, которые надеялись оживить интерьер, полагая, что, если обклеить все кухонные столешницы пленкой с китайскими розами или неумело вырезать на притолоке слово *Suerte*[1], им станет уютнее жить — и в этой квартире, и в большом мире снаружи; которые все до одного теперь уже либо съехали, либо мертвы.

Баррет в ванне. Ему не откажешь в умении быть комично величественным, хранить достоинство везде и всегда; царственные повадки, похоже, достались ему по наследству — такие невозможно ни воспитать в себе, ни сымитировать. В ванне Баррет не лежит, а сидит с прямой спиной и застывшим лицом, как сидят в поезде жители пригородов, возвращаясь домой с работы.

— Ты что так рано? — спрашивает он Тайлера.

Тайлер пытается вынуть сигарету из пачки, которая хранится у него в ящичке для лекарств. Из-за Бет он курит только в ванной.

— Мы вчера окно не закрыли. За ночь в спальню снега намело.

Прежде чем достать сигарету, Тайлер шлепает по пачке ладонью. Он не очень понимает, зачем все это делают (чтобы табак равномернее распределился?), но ему нравится — карающий шлепок приятно дополняет ритуал закуривания.

---

1   *Suerte* — счастье, удача *(исп.)*.

— Что снилось? — спрашивает Баррет.

Тайлер зажигает сигарету и, приоткрыв окно, выпускает дым в образовавшуюся щель. Навстречу его выдоху с улицы просачивается колючая струйка морозного воздуха.

— Какая-то ветреная радость, — говорит Тайлер. — Ничего конкретного. Погода как счастье, но немножко с песком, нежеланное, в латиноамериканском, что ли, городке. А тебе что?

— Статуя с эрекцией. Крадущийся пес. Больше, боюсь, ничего.

Они молчат, похожие на ученых, записывающих умные мысли.

Потом Баррет спрашивает:

— Новости уже смотрел?

— Нет. Как-то побаиваюсь.

— В шесть он все еще опережал по голосам.

— Не выберут его, — говорит Тайлер. — Потому что, *хоть усрись, не было там никакого оружия массового поражения*. Все. Точка.

Баррет ненадолго отвлекается, отыскивая среди множества флаконов шампуня такой, где еще что-то осталось. Пауза приходится кстати. Тайлер знает, как легко выводит его из себя эта тема, как страшно она его бесит, понимает, что может любого утомить, втолковывая: вот если бы люди *видели*, если бы *понимали*...

Никакого оружия массового поражения не было. А мы их все равно бомбили.

И попутно он, между прочим, порушил экономику. Растранжирил что-то около триллиона долларов.

У Тайлера в голове не укладывается чужое равнодушие к тому, что его самого буквально сводит с ума. Сейчас, когда перед ним не расстилается больше его личное снежное королевство, а кокс прогнал тупую истому непривычно раннего пробуждения, он насторожен, как кролик, и готов взвиться из-за любой ерунды.

Тайлер выпускает в заоконную стужу еще одну струю дыма и наблюдает, как дымные завитки растворяются в снегопаде.

— Что меня действительно беспокоит, так это прическа Керри, — говорит Баррет.

Тайлер морщится, как от резкой головной боли. Ему не хочется быть человеком, который не понимает шуток, дядюшкой, которого приходится звать в гости, несмотря на то что он всякий раз страшно заводится, когда... Любую несправедливость, предательство, историческое злодеяние Тайлер носит, как стальные доспехи, приваренные к его голому телу.

— А меня — подсчет голосов в Огайо, — говорит он.

— Все там будет в порядке, — отвечает Баррет. — Мне так кажется. Вернее, очень надеюсь.

Он, видите ли, надеется. Надежда нынче — старый выцветший шутовской колпак с колокольчиком на конце. Разве у кого-то в наши дни хватит духу его надеть? С другой стороны, кто наберется храбрости сорвать этот колпак с головы и тряпкой бросить под ноги? Уж точно не Тайлер.

— Я тоже надеюсь, — говорит он. — И надеюсь, и верю, и даже чуточку верю.

— А что с песней для Бет?

— Застопорилось слегка. Но вчера вечером я, похоже, сдвинулся с мертвой точки.

— Это хорошо. Очень хорошо.

— Тебе не кажется, что дарить ей песню… как-то маловато получается?

— Нет, конечно. А какой подарок, по-твоему, ей приятнее было бы получить на свадьбу? Новый "блэкберри"?

— Не знаю, что у меня получится.

— Ну да, писать песни непросто. В жизни вообще почти все непросто, не находишь?

— Ты прав, — говорит Тайлер.

Баррет кивает. На несколько мгновений устанавливается тишина, которой столько же лет, сколько они помнят друг друга, тишина их взросления вдвоем, дней и ночей, прожитых в одной комнате; их общая тишина, которая всегда была их родной стихией, хотя и нарушалась то и дело болтовней, драками, пердежом и смехом над пернувшим, стихией, в которую они неизменно возвращались, областью беззвучного кислорода, образовавшегося из смеси атомов их двух "я".

— Маму молнией ударило на поле для гольфа, — говорит Тайлер.

— Мне, в общем-то, об этом известно.

— Бетти Фергюсон сказала на поминках, что она в тот день прошла пятипарную лунку в два удара.

— Об этом я тоже знаю.

— А Парнягу два раза сбила одна и та же машина. С разницей в год. Он оба раза выжил. А потом насмерть подавился сникерсом на Хэллоуин.

— Тайлер, прошу тебя.

— Потом мы завели нового бигля, назвали Парняга-второй. Его переехал сын той женщины, которая два раза сбивала Парнягу-первого. Он тогда в первый раз сел за руль, ему как раз шестнадцать исполнилось.

— Зачем ты все это говоришь?

— Я просто перечисляю невозможные события, которые все-таки произошли, — отвечает Тайлер.

— Такие же невозможные, как второй срок Буша.

И как то, что Бет выживет, не говорит Тайлер. Что химиотерапия поможет — этого он тоже не говорит.

— Хочется, чтобы эта чертова песня получилась.

— Получится.

— Ты прямо как мама говоришь.

— А я и есть как мама. Ты же прекрасно понимаешь, неважно, какой выйдет песня. Бет уж точно.

— Мне самому важно.

Баррет понимающе смотрит на него и делает это даже выразительнее, чем их с Тайлером отец. Особого родительского дара за их отцом не числится, но кое-что у него выходит здорово. Например, пристально взглянуть широко раскрытыми глазами, как бы говоря сыновьям: *все нормально, большего от вас сейчас и не требуется*.

Надо ему позвонить, а то уже целую неделю не звонили. А может, и две.

Почему он женился на Марве так скоро после маминой смерти? Зачем они переехали в Атланту? Что там забыли?

И что вообще произошло с этим человеком, как он мог полюбить Марву — к ней самой вопросов нет, она, если получается не пялиться на шрам, даже симпатична на свой грубоватый, "держитесь-у-меня" лад, — но отец, как он мог бросить роль покаянно-заботливого маминого спутника? Роли между ними распределялись очень понятно. Она нуждалась в заботе и вечно подвергалась какой-нибудь опасности (и молния таки настигла ее), это все явственно читалось в ее лице (фарфоровая, молочно-голубая чистота славянских, со всем возможным тщанием вылепленных черт). А отец всегда был готов сесть за руль, чуть что укладывал ее вздремнуть и сторожил ее сон, сходил с ума, стоило ей задержаться где-нибудь хотя бы на полчаса; немолодой мальчик, он был бы только рад остаток своих дней провести под дождем у ее окна.

И кем этот человек стал сейчас. Он носит шорты "Томми Багама" и сандалии "Тева", гоняет с Марвой по Атланте в кабриолете "крайслер-империал", выпуская сигарный дым вверх, к созвездиям в небе Джорджии.

Наверное, эта новая роль дается ему легче. И за это Тайлер на отца не в обиде.

А что обижаться — от родительских обязанностей его давным-давно избавили. И свершилось это, скорее всего, когда братья запили сразу после похорон матери.

Одному было семнадцать, другому — двадцать два. Несколько дней они болтались по дому в трусах и носках, целеустремленно истребляя запасы спиртного (от скотча и водки перешли к джину, потом к сомнительной текиле, а под конец допили четверть бутылки ликера "Тиа Мария" и "Драмбуи", недопитого кем-то минимум лет за двадцать до того; его оставалось на два пальца от донышка).

Дни напролет, немытые и взъерошенные, притихшие от испуга, в одних трусах и носках, Тайлер с Барретом напивались в ставшей вдруг не-просто-так гостиной, где все давно знакомые вещи стремительно сделались *ее* вещами. Тут-то одним из вечеров и произошла (все на это указывает) та перемена...

Тебе не приходило в голову?

Что не приходило?

Они лежали в гостиной на диване, который стоял там всегда, продавленный, замызганно-кремовый, упорно превращаясь из рухляди в священную память о былом.

Сам знаешь что.

С чего ты взял, что знаю?

Не надо тут, а!

Ну да. Мне тоже иногда кажется, что отец так за нее боялся из-за всякой хрени, что...

Что накликал.

Ага, спасибо. Правильное слово.

Что какое-нибудь там божество услышало, как он вечно дрожал, как бы ее не ограбили, как бы она... не знаю... раком волос не заболела...

Услышало и устроило такое, бояться чего даже у него фантазии не хватало.

Но ведь это неправда.

Конечно.

И все равно мы оба об этом думаем.

Должно быть, тут-то они и обручились друг другу. Тут-то и дали зарок: отныне мы не просто дети одних родителей — мы напарники, мы выжили в крушении космолета и теперь вдвоем исследуем утесы и расселины неизвестной планеты, на которой, возможно, кроме нас двоих, никого больше нет. Отныне мы не хотим, чтобы у нас был отец, он нам не нужен.

И все равно позвонить ему надо бы, а то уже сколько не звонили.

— Понимаю, — говорит Баррет. — Я понимаю, что для тебя это важно. Но для нее-то нет, я думаю, тебе нужно об этом помнить.

Сероватая вода приглушает особенно насыщенные сейчас розово-белые тона его обнаженного тела.

— Хочу кофе сделать, — говорит Тайлер.

Баррет поднимается на ноги и стоит в ванне, обтекая. Крепкая коренастая мужественность сочетается в его фигуре с детской пухлостью.

Любопытно: зрелище того, как Баррет выходит из ванны, Тайлера совсем не тревожит. А вот за тем, как он в нее погружается, Тайлеру по какой-то загадочной причине наблюдать тяжело.

Может ли быть такое, что в погружении ему видится опасность? Может вполне.

Что еще любопытно: далеко не всегда важно понимать глубинные мотивы поведения другого человека, знать, откуда берутся его слабости и завиральные идеи.

— А я пойду в магазин, — говорит Баррет.

— Прямо сейчас?

— Хочется побыть одному.

— У тебя же есть здесь своя комната. Или тебе со мной под одной крышей тесно?

— Помолчи, ладно?

Тайлер протягивает Баррету полотенце.

— Я считаю, правильно, что песня будет про снег, — говорит Баррет.

— Мне сразу показалось, что это правильно.

— Разумеется. За что ни берешься, все кажется сначала правильным, крутым и жутко многообещающим... Извини, грузить не буду.

Тайлер медлит, чтобы сполна насладиться мгновением. Они пристально смотрят друг на друга — очень просто, обыденно. Нет в их взглядах ни страсти, ни драйва, ни тени неловкости, но в то же время присутствует нечто важное. Это нечто можно назвать узнаванием, и это правда, но далеко не вся. В этом узнавании Баррет с Тайлером как будто вызывают дух третьего, призрачного брата, которому не вполне удалось явиться на свет и который потому в своем призрачном бытии — и даже менее чем призрачном и менее чем бытии — служит им медиумом, добрым гением. Этот брат, этот мальчик (ему не суждено перерасти розовощекой херувимской телесности) являет собой их общее, объединенное "я".

Баррет вытирается. Когда он вылез из ванны, вода в ней, как это бывает обычно, из прозрачной и обжигающей стала тепловато-мутной. Почему так происходит? Откуда берется муть — частицы ли это мыла или его, Баррета, частицы — наружный слой городской копоти и отмерших клеток эпидермиса, а с ними вместе (он не может от этой мысли избавиться) некоторая толика его подлинной сути, его мелочной зависти и тщеславия, самолюбования и привычки вечно жалеть себя, — смытые мылом и теперь водоворотом уходящие в сток ванны.

Он задерживает взгляд на воде. Вода как вода. Она ничуть не изменилась наутро, после того как он увидел то, чего видеть в принципе не мог.

И почему вдруг Тайлер решил сегодня с утра поговорить о матери?

Картинка из прошлого: мать курит, развалясь на диване (он здесь, у них в Бушвике, стоит в гостиной), добродушно расслабленная после нескольких бокалов "олд фэшн" (Баррету нравится, когда мать пьет, — алкоголь подчеркивает в ее облике печать глубокого и сполна осознанного поражения, ту насмешливую беспечность, которой не бывает в ней стрезва, когда с ее слишком ясным умом просто невозможно не помнить, что грандиозные разочарования хоть и несут боль, но зато наполняют жизнь чеховской печальной возвышенностью). Баррету девять. Мать улыбается ему — в глазах у нее поблескивает пьяный огонек, — как улыбалась бы, глядя на растянувшегося у ее ног ручного леопарда.

— Ты знаешь, — говорит она, — со временем тебе придется позаботиться о старшем брате.

Баррет молчит, сидя на краешке дивана у колен ее поджатых ног, и ждет, чтобы мать объяснила, что имеет в виду. Мать затягивается, прикладывается к коктейлю, еще раз затягивается.

— Потому что, мой дорогой, — наконец продолжает она, — скажем прямо... Давай с тобой начистоту. Мы же можем быть откровенными друг с другом?

Баррет согласен. Ведь это же, наверно, страшно неправильно, если мать и ее девятилетний сын не будут полностью откровенны друг с другом?

— Твой брат красавец, самый настоящий красавец, — говорит она.

— Угу.

— А ты, — затяжка, глоток коктейля, — ты совсем другой.

Баррет сморгивает слезу подкатившего страха. Ему страшно услышать, как его сейчас определят Тайлеру в услужение, назначат маленьким толстым шутом, веселым полезным подручным старшего брата, мастера одной стрелой завалить вепря и, вполсилы ударив топором, расколоть ствол векового дерева.

— В тебе есть свое очарование, — говорит она. — Откуда оно взялось, понятия не имею. Но я знала. Сразу знала, что оно у тебя будет. Как только ты родился.

Баррет усердно моргает, чтобы не расплакаться, но ему все любопытнее и любопытнее, о чем же это она.

— С Тайлером все хотят дружить. Тайлер красивый... да. У него получается бросить мяч... закинуть его далеко-далеко и ровно туда, куда надо закидывать мяч.

— Я знаю, — говорит Баррет.

Что за странное недовольство отразилось на материнском лице? Почему она смотрит на Баррета так, как если бы поймала его на том, что он, желая угодить рамолитичной тетушке, с притворной жадностью ловит каждое ее слово, хотя история, которую рассказывает тетушка, давно знакома ему в мельчайших деталях?

— Кого боги хотят погубить... — Мать выпускает струйку табачного дыма в гущу стеклянных подвесок под куполком люстры, и та звенит, как перевернутая вниз головой тиара. Баррет не понимает: то ли ей лень закончить строчку, то ли она забыла, что там дальше[1].

— Тайлер хороший мальчик, — говорит Баррет сам не зная зачем, только потому, что ему кажется, что нельзя молчать.

— Именно это я и хочу сказать. — Мать смотрит вверх и будто бы обращается не к Баррету, а к люстре.

Скоро все до поры непонятное сложится во внятную картину. Граненые стекляшки люстры, каждая размером с кусок рафинада, потревоженные дуновением электрического вентилятора, выстреливают короткими спазмами света.

— Тебе, наверно, надо будет его поддержать. Нет, не сейчас, потом. Нынче-то у него все в ажуре, он прямо кум королю.

---

1 Мать Баррета и Тайлера цитирует слова Прометея из драматической поэмы Лонгфелло "Маска Пандоры" (1875). Продолжение строчки: "...того они лишают разума".

Кум королю. Это что, большая заслуга?

— Что я хотела тебе сказать, — продолжает она. — Ты вот запомни, о чем мы с тобой сейчас говорим. Надолго... навсегда запомни: потом, в будущем, твоему брату надо будет помочь. Ему может понадобиться помощь, про какую ты пока и знать-то не можешь... в свои-то десять лет.

— Мама, мне девять, — напоминает ей Баррет.

И вот теперь, без малого тридцать лет спустя, вполне себе дожив до будущего, о котором когда-то говорила мать, Баррет вытаскивает затычку из стока ванны. Вода начинает убывать со знакомым сосущим звуком. На дворе утро. Самое что ни на есть заурядное, если не считать...

То видение стало первым сколько-нибудь заметным событием за бог знает сколько лет, о котором Баррет не рассказал Тайлеру и о котором продолжает молчать. С самого детства у него не бывало от Тайлера секретов.

Но и ничего подобного вчерашнему с ним тоже никогда не случалось.

Нет, он все Тайлеру расскажет, но не прямо сейчас, а немного погодя. Меньше всего на свете Баррету хочется наткнуться на скепсис со стороны брата и еще меньше — смотреть, как героически Тайлер пытается ему поверить. Не хватало еще, чтобы Тайлер и за него волноваться начал, будто мало ему одной Бет, которой не становится ни лучше, ни хуже.

Страшно подумать: иногда Баррету хочется, чтобы Бет уже или умерла, или выздоровела.

Бывает, ему кажется, что уж лучше оплакать, чем томиться ожиданием и неопределенностью (на той неделе лейкоциты выросли, и это хорошо, но опухоли в печени не увеличиваются и не уменьшаются, и это плохо).

А еще вдруг выясняется: положиться-то не на кого. У Бет одновременно пять докторов, ни один над другими не начальник, и часто их показания сильно расходятся. Нет, они неплохие врачи (за исключением Страшилы Стива, химиотерапевта), они стараются, добросовестно пробуют сначала то, а затем это... Но вся жуть в том, что Баррет — и Тайлер тоже, и наверняка Бет, хотя он с ней об этом не разговаривал, — что все они рассчитывали на милосердного порфироносного воина, который будет сама уверенность. Баррет не ожидал, что дело придется иметь с вольными ополченцами — пугающе молодыми, если на считать Большой Бетти, — которые виртуозно владеют медицинским наречием, лихо сыплют семисложными словами (забывая — или просто не желая помнить, — что слов этих никто, кроме врачей, не понимает и не знает), которые на "ты" с самым современным оборудованием, но — всего-то навсего! — не понимают, что надо делать и что будет дальше.

Все-таки лучше пока о небесном свете помолчать — без откровений Баррета Тайлер сейчас прекрасно обойдется.

Разумеется, Баррет почитал в интернете про все мыслимые медицинские причины (отслоение сетчатки, рак мозга, эпилепсию, психотические расстройства), которые объясняли бы его видение, — и не нашел ни одной подходящей.

Хотя он пережил нечто в высшей степени необычное (что, как он надеется, не было предвестием смертельного заболевания, о котором ничего не сообщается в интернете), он не получил указаний, не воспринял ни вести, ни заповеди и наутро остался ровно тем же, кем был накануне вечером.

Но вопрос: кем же он был вчера? Вдруг в нем действительно произошла какая-то едва пока уловимая перемена — или он просто стал внимательнее относиться к частностям нынешнего своего бытия? Ответить на это трудно.

А тем временем ответ, будь он найден, помог бы объяснить, как так вышло, что у них с Тайлером настолько бестолково складывается жизнь — и это у них, некогда национальных стипендиатов (ну, собственно, стипендиатом был Баррет, Тайлер чуть-чуть недотянул), президентов студенческих клубов и королей студенческих балов (коронован был Тайлер, но тем не менее); помог бы объяснить, как так вышло, что заявившись в образе влюбленной парочки на скучнейшую на свете тусу, они повстречали там Лиз; что потом они втроем свалили оттуда и на полночи зависли в замызганном ирландском пабе; что Лиз вскорости познакомила их с Бет, недавно приехавшей из Чикаго, — с Бет, которая и близко не была похожа ни на одну из предыдущих Тайлеровых пассий и в которую он влюбился жадно и стремительно, как накидывается на естественную для него пищу зверь, много лет протомившийся в клетке на зоосадной кормежке.

В этой череде событий не было ничего похожего на предопределенность. Они развивались последовательно, но совсем не целенаправленно. Можно пойти вместо одной тусовки на другую, там повстречать знакомого, который познакомит тебя с человеком, который под конец того же вечера трахнет тебя в подъезде на Десятой авеню, или угостит первой в твоей жизни дорожкой, или ни с того ни с сего скажет невероятно добрые слова, а потом, договорившись созвониться, вы расстанетесь навеки; а можно в результате столь же случайного течения обстоятельств встретить того, кто навсегда переменит твою жизнь.

Ноябрьский вторник. Баррет вернулся с утренней пробежки, принял ванну и теперь отправляется на работу. И дальше сегодня он будет делать то же, что делает каждый день. Будет продавать тряпки (наплыва покупателей ждать не приходится, в такую-то погоду). Продолжит бегать и сидеть на низкоуглеводной диете — пути к сердцу Эндрю спорт и диета ему не проложат, зато, есть шанс, помогут почувствовать себя более собранным и трагичным, не совсем уж похожим на барсука, одурело влюбленного в юного красавца-льва.

Увидит ли он снова тот небесный свет? А что если не увидит? Тогда к старости он, скорее всего, превратится в сказочника, однажды увидавшего нечто необъяснимое вроде НЛО или снежного человека, в чудака, который пережил краткое необычайное видение, а потом продолжил потихоньку стареть и влился в широкие ряды психов и ясновидящих, тех, что точно знает, что они увидели, — а если вы, молодой человек, не верите, дело ваше, быть может, в один прекрасный день и вам явится то, что вы не сумеете объяснить, тогда и поговорим.

Бет что-то ищет.

Незадача в том, что она не очень помнит что. Она это за собой знает: рассеянная, не положила на место... Но что именно она не туда положила? Что-то очень важное, что обязательно надо найти, потому что.... Ну да, потому что, когда откроется пропажа, отвечать придется ей.

Она ищет по всему дому, хотя и не уверена, что та штука (какая та?) где-то здесь. Но ей кажется, что поискать стоит. Потому что она прежде уже бывала в этом доме. Она припоминает, узнает его, как узнает другие дома своего детства. Дом, в котором она сейчас, множится в череду домов, где она жила, пока не уехала в колледж. Вот обои в серую и белую полоску из дома в Эванстоне, вот застекленные двери из Уиннетки[1] (те, возможно, были пошире?), лепной карниз из другого дома в Уиннетке (а вот эта прореха в гипсовых листьях, в которую за тобой словно бы кто-то наблюдает мудрым изумленным взглядом, была такая в том доме?).

Времени мало, скоро кто-то вернется. Кто-то строгий. Но чем старательнее Бет ищет, тем хуже понимает, что потеряла. Что-то маленькое? Круглое? Такое маленькое, что и не видно? Да, очень похоже. Но это не означает, что можно не искать.

Она девочка из сказки, ей велено к утру превратить снег в золото.

Она не может этого сделать, разумеется, не может, но все равно снег повсюду, он сыплется с потолка, по углам посверкивают снежные наносы. Она помнит, как ей снилось, что надо сделать золото из снега, а она вместо этого мечется в поисках по дому…

Она смотрит себе под ноги. Пол припорошен снегом, но ей видно, что она стоит на люке — он сливается с досками пола, и выдают его присутствие только пара латунных петель и латунная ручка размером не больше шарика жвачки.

---

1   *Эванстон* и *Уиннетка* — северные буржуазные, преимущественно белые пригороды Чикаго; Уиннетка традиционно входит в двадцатку населенных пунктов США с самым состоятельным населением.

Мать дает ей пенни, чтобы она купила себе шарик жвачки в автомате у входа в магазин "Эй энд пи". Бет не знает, как сказать, что один из шариков отравлен и что не надо поэтому кидать монету в щель автомата, но матери так хочется порадовать дочь, что той просто некуда деваться.

Она стоит на люке в тротуаре у входа в "Эй энд пи". Там тоже идет снег.

Мать подталкивает ее бросить пенни в щель. Снизу, из-под люка, до Бет доносится смех. Она знает: там, под люком, хохочет смертельная опасность, клубится сгусток зла. Люк начинает медленно приоткрываться... Или ей это кажется?

Она замерла с пенни в руке. "Кидай же", — говорит мать. И тут до нее доходит, что эту-то монетку она и искала. И случайно нашла.

Тайлер сидит на кухне, попивает кофе и дописывает куплет. Он по-прежнему в трусах, но сверху надел йельскую фуфайку Баррета — бульдожья морда на ней совсем выцвела, из красной стала карамельно-розовой. Кухонный стол Бет притащила с улицы, в углу столешницы сверхпрочный пластик отслоился и отлетел, обнажив проплешину в форме штата Айдахо. Во времена, когда стол был новым, люди собирались строить города на дне океана, думали, что живут на пороге праведного и восторженного мира из металла, стекла и бесшумной, прорезиненной скорости.

С тех пор мир стал старше. Иногда даже кажется, что он сильно постарел.

Джорджа Буша не переизберут. Невозможно же, чтобы Джорджа Буша переизбрали.

Тайлер гонит от себя навязчивую мысль. Глупо на нее тратить этот звонкий утренний час. К тому же надо закончить песню.

Гитару он не берет, чтобы не разбудить Бет, и тихо нашептывает а капелла написанные вечером стихи:

> Войти в ночи в промерзшие чертоги,
> Там отыскать тебя на троне изо льда
> И наконец-то растопить осколок в сердце...
> Но нет, не для того я долго шел сюда,
> Нет-нет, не для того так долго шел сюда.

М-да, лажа какая-то. Дело в том...

Дело в том, что он твердо решил, что в песне не будет слащавой нежности, но и спокойной отстраненности не будет тоже. Какой должна быть песня для умирающей невесты? Как без смертельной мрачности рассказать о любви и смерти (настоящих, а не открыточных типа пока-смерть-не-разлучит-нас)?

Такая песня должна быть серьезной. Или, наоборот, предельно легкомысленной.

Мелодия помогает найти слова. Вот бы и на сей раз помогла. Но нет, сейчас слова важнее. Когда покажется, что найдены правильные (или не совсем неправильные), он положит их... Положит на наивную, совсем простую и чистую мелодию, но так, чтобы она не звучала по-детски — не по-детски, но с детской непосредственностью, ученической откровенностью приемов. В мажорном ключе — с одним-единственным минорным аккордом, в самом конце, когда романтически возвышенный текст, до тех пор контрастировавший с бодрой мелодией, приходит наконец в мимолетную скорбную гармонию с музыкой. Песня должна быть более или менее в духе Дилана, в духе "Велвет андерграунд". Но никак не *под* Дилана и не *под* Лу Рида. Надо написать вещь оригинальную (разумеется, *оригинальную*; но лучше — *какую мы еще не слышали*; а еще лучше — *с признаками гениальности*), но при этом неплохо бы остаться в рамках, выдержать стилистику... Как Дилан, отбросить всякую сентиментальность, как Лу Рид, совместить страсть с иронией.

Мелодия должна... должна излучать искренность, и чтобы без единой нотки самолюбования, типа, *быстро зацени, какой я крутой гитарист*. Потому что эта песня — голый крик о любви, это мольба, смешанная... с чем? со злостью? Да, все-таки со злостью — со злостью философа, злостью поэта, злостью на то, что мир преходящ, что его умопомрачительная красота извечно наталкивается на неизбежность гибели и конца, на то, что, показывая чудеса и сокровища мироздания, нам непрерывно напоминают: сокровища эти не ваши, они принадлежат султану, и вам еще страшно повезло (предполагается, что мы должны почитать это за удачу) получить дозволение их лицезреть.

И еще тоже: песня должна быть проникнута... нет, не банальной надеждой, а, скорее, твердой верой в то, что пылкая привязанность — если только такое вообще возможно у людей, а песня будет утверждать, что да, возможно, — не оставит невесту в загробном странствии и пребудет с нею вовек. Должна выйти песня мужа, который считает себя таким же верным ее спутником в смерти, каким был в жизни, хотя и вынужден до времени оставаться в живых.

Что ж, удачного воплощения.

Он наливает себе еще кофе и выводит последнюю, теперь уж точно последнюю строчку. А вдруг он еще... не проснулся достаточно для того, чтобы его дар заговорил в полную силу. А вдруг в один прекрасный день — и почему бы этому прекрасному дню не быть сегодняшним? — он наконец стряхнет всегдашнюю дрему.

А может, заменить "осколок" на "занозу"? *И наконец-то растворить занозу в сердце?*

Нет, сейчас лучше.

А этот повтор в конце — находка? или дешевка?

И не слишком ли сентиментально звучит в стихах слово "сердце"?

Надо, чтобы понятно было: слова принадлежат человеку, который не желает избавляться от засевшего в груди острия, настолько свыкся с ним, что полюбил причиняемую острием боль.

> Войти в ночи в промерзшие чертоги,
> Там отыскать тебя на троне изо льда…

Чем черт не шутит — при свете дня эти строчки вполне могут звучать лучше, чем сейчас, ранним утром.

И все же: если Тайлер что-то собой представляет, если он твердо настроен написать настоящую вещь, откуда в нем столько сомнений? Разве не должен он ощущать… направляющую руку?

Ну и что с того, что ему сорок три и он поет в баре?

Нет, он никогда не возьмется за ум. Это песнь горького старения. В сердце у него забит костыль (вот еще один возможный синоним), и он не может и не хочет от него отрекаться. Он постоянно чувствует его присутствие и без него не был бы самим собой. Никто и никогда не советовал ему, получившему диплом по политологии, заняться написанием песен и проматывать скромное материнское состояние, бренча на гитаре в еще более скромных залах. Это его секрет Полишинеля, его "я" внутри "я" — уверенность в собственной виртуозности, умении проникать в суть вещей, которая пока никак себя не проявила. Он все еще только на подходе, и его бесит, что все вокруг (все поголовно, кроме Бет и Баррета) видят в нем неудачника, немолодого уже музыканта из бара (нет, лучше сказать, немолодого бармена, которому хозяин заведения позволяет петь свои песни пятничными и субботними вечерами), тогда как сам он знает (твердо знает), сколь многое в нем таится, сколь многое он обещает миру, не то чтобы прямо гениального, но все новые мелодии и стихи медленно и непрерывно наполняют его, великие песни витают над головой, и в какие-то мгновения кажется, что еще чуть-чуть — и он поймает одну из них, буквально выхватит из воздуха, и он старается изо всех сил, о, как же он старается, но то, что ему удается поймать, никогда не оправдывает ожиданий.

Ошибся. Попробуй еще раз. Ошибся лучше[1]. Так, да?

---

[1]   Цитата из новеллы С. Беккета *Worstward Ho* (1983).

Тайлер напевает первые две строчки, тихо, себе под нос. Он ждет от них... чего-то такого. Волшебного, загадочного точно и... хорошего.

Войти в ночи в промерзшие чертоги,
Там отыскать тебя на троне изо льда...

Он тихонько напевает, сидя на кухне, где приглушенно пахнет газом, где на бледно-голубые (в свое время, должно быть, выкрашенные аквамарином) стены прикноплены фотографии Берроуза, Боуи, Дилана и (дело рук Бет) Фолкнера и Фланнери О'Коннор. Как же хочется ему написать для Бет красивую песню, спеть на свадьбе — и так, чтобы получилось сказать именно то, что хотелось, чтобы это был настоящий подарок, а не очередная почти что удача, неплохая попытка; чтобы это была песня, которая захватывает и пронзает, нежная, но играющая гранями, твердая, как алмаз...

Что ж, попробуем еще раз.

Он опять начинает петь, а за стенкой спит Бет. Он тихо поет своей возлюбленной, своей будущей невесте, своей умирающей девушке — девушке, которой предназначена эта песня и, вполне может быть, вообще все песни на свете. Он поет, и тем временем становится светлее.

Баррет одет. Зауженные (слишком узкие? — и пусть, надо же внушить окружающим, что ты красавец) шерстяные брюки, футболка с группой "Клэш" (заношенная до бесцветной прозрачности), нарочито растянутый свитер, мягко свисающий почти до колен.

Вот он, после ванны, причесанный с гелем, готовый к началу дня. Вот его отражение в зеркале на стене его комнаты, вот комната, в которой он обитает: в японском духе, из обстановки только матрас и низкий столик, стены и пол выкрашены белой краской. Это личное убежище Баррета, окруженное со всех сторон музеем хлама, в который превратили свою квартиру Тайлер и Бет.

Он берет телефон. Лиз еще наверняка не включила свой, но ей надо дать знать, что сегодня магазин откроет он.

"Привет, это Лиз, оставьте ваше сообщение".

Ему до сих пор иногда странно бывает слышать напористый, урезанный по частотам голос в отрыве от ее подвижной и очень неординарной физиономии под спутанной копной седых волос (она, по ее словам, из тех женщин, которым удается быть красивыми без оглядки на других — но удается это, надо понимать, лишь обладательницам внушительного горбатого носа и большого рта с тонкими губами).

Баррет сообщает ее голосовой почте (или *на* нее):

"Привет, я сегодня буду пораньше, так что вы там с Эндрю, если хотите еще потискаться, вперед. Можете не торопиться, я открою. Да к тому же вряд ли сегодня будет много народу. Пока".

Эндрю. Самое идеальное создание среди близких знакомых Баррета, грациозный и загадочный, как фигура с фриза Парфенона, единственный его опыт соприкосновения с красотой высшего порядка. Если Баррет когда-либо раньше ощущал божественное присутствие в своей жизни, то только благодаря Эндрю.

В голове у Баррета назойливой мухой вьется озарение: а не потому ли так легко ушел от него последний бойфренд, что почуял, как важен для него Эндрю, о котором он ни разу — ни разу! — бойфренду не обмолвился? Может ли такое быть, что возлюбленному показалось, будто он служит Баррету лишь заменой, лишь досягаемым воплощением органичной, непринужденной красоты Эндрю, того самого Эндрю, который до сих пор служил Баррету и, возможно, всегда будет служить самым убедительным доказательством гениальности божественного замысла и заодно — необъяснимой Его (Ее?) тяги время от времени вкладывать в работу над очередным куском глины несравненно больше тщания, заботы о симметрии и деталях, чем выпадает большинству одушевленных творений?

Нет. Скорее всего, ничего такого не было. Тот парень, если честно, не отличался тонкостью интуиции, да и в том, как Баррет почитает Эндрю, нет ни намека на какое-то развитие. Баррет восхищается Эндрю, как другие восхищаются Фидиевым Аполлоном. Никто же не станет жить надеждой, что мраморная статуя сойдет с пьедестала и заключит его в объятия. И никто не бросает любовников за страсть к искусству, ведь так?

Одно дело завороженно любоваться луной, устремляться душой к волшебному хрустальному городу по ту сторону океана. И совсем другое — требовать от любовника, от того, с кем делишь постель, кто не убирает за собой использованные бумажные платки и может выпить с утра последний кофе в доме, чтобы он заменил тебе и луну, и волшебный город.

С другой стороны, если все-таки любовник бросил Баррета из-за молчаливого преклонения перед юношей, с которым и мысли не было... Это неким странным образом было бы даже приятно. Баррета бы устроила версия, что его бывший оказался параноиком, а то и вовсе психом.

По пути к прихожей Баррет опять останавливается у открытой двери в спальню Тайлера и Бет. Она спит. А Тайлер, видать, засел на кухне с кофе. Баррету спокойнее от мысли — не ему одному, всем спокойнее, — что Тайлер тормознул с наркотиками.

Баррет медлит некоторое время, глядя на спящую Бет. Она вся исхудавшая, с кожей цвета слоновой кости, похожа на принцессу, которая уже много десятилетий лежит в летаргическом сне, дожидаясь, пока кто-то снимет с нее заклятие. Странным образом во сне меньше заметно, что она больна, — когда Бет бодрствует, в каждой сказанной ею фразе, в каждой мысли и каждом движении бросается в глаза борьба с телесной немощью.

А может быть, вчерашнее знамение относилось к Бет? Не связан ли момент, выбранный безмерным надчеловеческим разумом для явления Баррету, с тем, что Бет все меньше времени проводит бодрствуя и все больше — во сне?

Или все-таки видение было вызвано тем, что на кору его головного мозга давит маленький комок клеток? Каково ему будет этак через год услышать от врача приемного покоя, что, обратись он вовремя, опухоль можно было победить?

К врачу он не пойдет. Вот если бы имелся у него постоянный доктор (воображение рисовало ему шведку шестидесяти с небольшим лет, строгую, но не слишком фанатичную, любительницу добродушно, полушутя поворчать над скромным букетом его не самых здоровых жизненных пристрастий), он бы позвонил доктору. Но, поскольку у Баррета нет даже страховки и его обычно пользуют, практикуясь, будущие врачи, для него немыслимо обратиться в клинику, где какой-то незнакомец начнет его расспрашивать о психическом здоровье. Если он и способен кому-то рассказать о небесном свете, то только тому, кто уже знает его как человека в целом вменяемого.

И что, он лучше будет рисковать жизнью, чем поставит себя в дурацкое положение? Похоже, что да.

Бесшумно ступая (он все еще в носках, потому что, по странному обычаю, в этой не блещущей чистотой квартире обувь принято оставлять в прихожей), Баррет входит в спальню, замирает у кровати и слушает, как Бет дышит во сне.

Он слышит запах Бет — аромат лавандового мыла, которым они все трое пользуются, смешанный с *женским* (только такое определение и приходит ему в голову) запахом чисто помытых мест, становящимся почему-то сильнее во сне; запах ее неотделим теперь от пудрено-травяного лекарственного духа, страннейшей смеси из аптечной стерильности и пряной горечи ромашки, которую, должно быть, испокон века собирали по болотам и топким пустошам, а поверх накладывается еще один запах, больничный, — в сознании у Баррета он связан с электричеством, с чем-то неосязаемым и невидимым, бегущим по проводам, спрятанным в стенах комнаты, где кто-то умирает.

Он склоняется к лицу Бет, вполне красивому и в то же время больше чем красивому. Красота предполагает толику банального сходства с неким эталоном, а Бет не похожа ни на кого, только на саму себя. Она чуть слышно дышит, приоткрыв рот, пухлые губы потрескались; аккуратно приплюснутая переносица и маленькие ноздри явно достались ей от азиатских предков; веки голубовато-белые с густыми черными бровями; лысый после химиотерапии череп безжизненного, чуть розоватого цвета.

Она хороша, но не ослепительна, у нее куча достоинств — милых, но невыдающихся. Она хорошо печет. Умеет одеваться. Умна, много и жадно читает. Добра почти ко всем, кого ни встретит.

Мог же небесный свет явиться Баррету в преддверии ее конца, чтобы напомнить, что жизнь не заканчивается со смертью плоти?

Или это все его, Баррета, мессианские фантазии?

А вдруг из-за этого-то и ушел любовник? Не из-за одержимости ли Баррета знамениями?

Баррет склоняется ниже, так близко к губам Бет, что чувствует на щеке ее дыхание. Она жива. Прямо сейчас — жива. Она явно видит сон, у нее подергиваются веки.

Ему представляется, что даже у последней черты сны у нее воздушные, светлые и жизнерадостные — в них к ней не подкрадывается незримый ужас, никто не испускает предсмертных воплей, безобидные на вид головы не являют внезапно черные провалы глазниц и оскаленные острые зубы. Он надеется, что так оно все и есть.

Мгновение спустя Баррет резко выпрямляется, как если бы кто-то позвал его по имени. И почти отшатывается, ошарашенный сознанием того, как рано уходит Бет и как мало людей почувствуют ее отсутствие. Простая и понятная мысль, но сейчас особенно пронзительная. Трагичнее это или наоборот — явиться так ненадолго в это мир и так незаметно его покинуть, почти ничего ему не дав, ничего не изменив?

Непрошеная мысль: главное свершение Бет в том, что она любит Тайлера и любима им. Бет любят многие, но Тайлер боготворит ее, восхищается ею, не видит в целом мире никого и близко равного ей.

Баррет питает к ней все те же чувства, но лишь как бы вслед за Тайлером. Выходит, Бет горячо любят двое — основной мужчина и запасной. В каком-то смысле она дважды замужем.

Что же будет делать Тайлер, когда ее не станет? Баррет обожает Бет, и она его (насколько он знает) тоже обожает в ответ, но повседневный уход и забота лежат целиком на Тайлере. Как он станет обходиться без Бет и без той осмысленности, какую она изо дня в день привносит в его жизнь на протяжении последних двух лет? Забота о Бет — его главное занятие, основная работа. Он играет на гитаре и сочиняет песни только в свободное от этой работы время.

Но так или иначе (Баррет понял это совсем недавно), как бы Тайлер ни сострадал Бет, как бы ни печалился, в нем давно не было такой удовлетворенности, какая появилась с началом ее болезни. Тайлер бы ни за что в этом не признался даже самому себе, но ходить за Бет — утешать ее, кормить, следить, чтобы она не пропускала приема лекарств, спорить с ее врачами — значило для него найти свое место. Наконец-то он может что-то делать, и делать хорошо, пока музыка ведет свое дразнящее существование где-то поблизости, но вне пределов досягаемости. А неизбежность грядущего поражения, видимо, не только внушает ему ужас, но и приносит покой. Редко кто становится по-настоящему великим музыкантом. Никто не может проникнуть в тело любимого и изгнать оттуда рак. Но одно принято считать обидным поражением, а другое нет.

Баррет нежно кладет ладонь Бет на лоб, хотя еще мгновение назад делать этого не собирался. Рука как бы действует по собственной воле, а ему остается просто за ней наблюдать. Бет что-то бормочет во сне, но не просыпается.

Баррет изо всех сил старается передать ей через ладонь некоторое подобие целительной энергии. Потом выходит из комнаты больной и направляется на кухню, где уже сварился кофе, куда гамельнским крысоловом манит его какое ни на есть буйство жизни; где Тайлер, поклонник и обожатель, сидит в одних трусах, свирепо наморщив лоб и вытянув тонкие, по-спортивному жилистые ноги, и как может готовится к своей скорой свадьбе.

Странная затея эта их свадьба, — говорит Лиз, обращаясь к Эндрю.

Они стоят на крыше, вокруг валит снег. Невероятное зрелище снегопада и привело их на крышу после стремительно пролетевшей ночи (боже мой, Эндрю, уже четыре; Эндрю, с ума сойти, половина шестого, надо хоть немножко поспать). Сексом они не занимались, их обоих для этого слишком вставило, но за ночь несколько раз случались моменты, когда Лиз казалась, будто она может все-все-все про себя объяснить, может предъявить себя на раскрытых ладонях и сказать — вот она я, вся на виду, все хитрые замочки отперты, дверцы отворены, потайные ящики выдвинуты, двойные донца вскрыты, вот мои честь и благородство, мои страхи и больные места, вымышленные и настоящие, вот так вот я вижу, думаю и ощущаю, так я страдаю, так надеюсь, так строю фразы; а вот... вот вся моя суть, осязаемая, но незакосневшая, неспокойно ворочающаяся под телесным покровом, та моя неназванная и неназываемая сердцевина, которая просто *есть*, которой удивительно, неприятно и странно быть женщиной по имени Лиз, жительницей Бруклина и владелицей магазина; это та я, которую и встретит Бог, после того как с нее спадет плоть.

И вправду, зачем при этом секс?

Сейчас она успокаивается, воссоединяется (испытывая одновременно сожаление и признательность) со своим более приземленным "я" — оно все еще пышет светом и теплом, но уже опутано тонкими прочными путами, умеет быть мелочным и раздражительным, недоверчивым и без повода тревожным. Она больше не парит в небесах, не простирает над ночными лесами свой усыпанный звездами плащ; волшебное зелье еще не успело выветриться у нее из крови, но больше не мешает быть женщиной, которая в снегопад стоит на крыше рядом с молодым, страшно молодым любовником, которая свыклась с обыденным миром и запросто может сказать — *странная затея эта их свадьба.*

— Да, — говорит Эндрю. — Тебе так кажется?

Он сверхъестественно красив на фоне снежной зари, кожа светится белизной, как у святых Джотто, стриженая рыжая голова припорошена снегом. Лиз на миг охватывает радостное изумление — мальчику интересно, что она думает. Она знает, скоро они расстанутся, по-другому просто не может быть, учитывая, что ему всего двадцать восемь. Пятидесятидвухлетняя Лиз Комптон — только эпизод в его жизни, которая вся впереди. С этим ничего не поделаешь, и главное сейчас, что он рядом, с остекленевшими с ночи глазами кутается в одеяло с ее кровати, фарфорово-бледный в рассветных лучах, пока не чей-то еще, а ее.

— Нет, я все отлично понимаю, — говорит она. — Но, по-моему, они б не стали затеваться со свадьбой, если бы она... если была бы здорова. И боюсь, не почувствует ли она себя в дурацком положении. А то это как больного ребенка в Диснейленд везти.

Слишком ты цинична, Лиз. Слишком резка. Не торопись расставаться с ночью, разговаривай с мальчиком на языке искренней благожелательности, на каком он сам говорит.

— Нет, это понятно. Но ты знаешь, если бы я тяжело заболел, я бы, наверно не возражал. Не был бы против, чтобы мне так доказали свою любовь.

— Только непонятно, делает это Тайлер скорее для себя или скорее для Бет.

Эндрю смотрит на нее обкуренным взглядом ясных и непонимающих глаз.

Она слишком много болтает? Или, может, его утомило пиршество длившихся всю ночь разговоров? Так недолго из редкого сокровища превратиться в тетку, которая не умеет вовремя замолчать.

Узы плоти снова берут свое. Возвращаются сомнения и мелкие поводы для самоистязания, осточертевшие, но настолько привычные, что с ними как-то даже спокойней.

— Я вообще их не очень знаю, — говорит Эндрю.

Ему не хочется продолжать разговор. Она утомила его. Но и Лиз еще не готова выпустить из рук обтрепанные края славной ночи, расстаться с верой в то, что ничего непонятного не бывает.

— Пошли внутрь, — говорит она.

Здесь, в утреннем снегопаде, Лиз лишается чего-то ей очень дорогого, как если бы ветер выдувал из нее размах и запал, оставляя лишь камешки скепсиса, аккуратные четки для счета обид.

— Нет, подожди минутку, — говорит Эндрю. — Я думаю…

Она ждет. Он напряженно соображает. Завернутый в одеяло, присыпанный снежными искрами, стоит и решает, что же он такое думает.

— Я думаю, надо меньше гадать. Думаю, надо действовать и делать ошибки. Жениться надо. Рожать детей. Даже если мотивы у тебя при этом не самые чистые и благородные. А то так всю жизнь проживешь себе чистым и благородным, а потом к старости возьмешь и останешься совсем один.

— Вполне может быть, что ты прав.

— Чтобы в дерьме не увязнуть, шевелиться надо, драться.

— Ну, может быть. В известной мере, — говорит она. — Эй, ты дрожишь?

— Немножко.

— Тогда идем.

Она целует его в холодные губы.

На кухне Баррет наливает себе пол-кружки кофе, свою обычную утреннюю дозу. Тайлер погрузился в себя, напевает себе под нос мелодию, негромко отбивая ритм пальцами по столу.

Редкий случай: Баррет не может подобрать слова, чтобы заговорить с Тайлером, и поэтому сидит, сжав в руках кружку с кофе, как будто только ради кофе и пришел на кухню. Немного спустя Тайлер выныривает из своего параллельного мира.

Обычно утренний кухонный разговор начинает Баррет. Но сейчас первым заговаривает Тайлер:

— Ты точно хочешь идти в магазин за три часа до открытия?

Тайлер говорит внятно и складно, но какая-то часть его по-прежнему витает в иных сферах. Напевать он перестал, но музыка все еще на полную звучит у него в голове. Баррет подозревает, что временами, особенно по утрам, когда музыка захватывает его целиком и крепнет желание написать великую вещь, поддерживать обыденную беседу для Тайлера все равно что пытаться докричаться до напарника на строительной площадке.

Баррет Тайлеру не отвечает. Он хотел бы ответить. И сейчас ответит. Но для начала он должен вспомнить, из чего состоят эти их кухонные разговоры, какими словами они каждое утро по-братски благословляют друг друга на дневное странствие (доброго тебе пути, пилигрим) — что именно Баррету надлежит сказать.

Сегодня у него есть тайна. Что-то, что он не рассказывает Тайлеру.

Очень странно: ему никак не удается собраться с мыслями.

И еще тоже странно: кажется, нынче без притворства невозможно быть Барретом.

— Эй? — говорит Тайлер.

Смешно. Впервые на памяти Баррета они поменялись ролями — с самого их детства повелось, что это не Тайлер его, а он выводил Тайлера из ритмически-созерцательной прострации.

Баррет встрепенулся.

— Да, — отвечает он брату. — Мне там нравится, когда никого нет. Можно спокойно почитать.

Вроде бы и голос, и интонации, и словарь его, такие же, как всегда. Ему хочется надеяться, что это так. Во всяком случае, недоумения на лице Тайлера не заметно.

— Здесь тоже можно читать. У тебя своя комната.

— А теперь ты как мама говоришь.

— Мы оба как мама.

— То есть, по-твоему, нас тоже убьет молнией? — спрашивает Баррет.

— Ты о чем?

— О том, что женщину убивает молнией на поле для гольфа, а потом, много лет спустя, молния бьет в одного из ее сыновей. Какова вероятность, что это случится?

— Вероятность ровно та же, что и в ее случае.

— Порой мне странно бывает, что ты так глух к романтике.

— Не путай романтику и суеверие, — говорит Тайлер.

— Но неужели ты никогда не пробовал представить, где сейчас мама?

Тайлер смотрит на Баррета так, как если бы тот отпустил грубое и бестактное замечание.

— Конечно, пробовал.

— Ты же не думаешь, что ее… просто не стало?

— Не хочется так думать.

Из крана в замоченную в раковине кастрюлю с едва слышным всплеском падает давно набухавшая капля воды. Под потолком приглушенно гудит круглая лампа дневного света, которую Бет укутала красным шарфом.

— Тебе никогда не приходило в голову, что католики могут быть правы? — спрашивает Баррет.

— Они неправы. Следующий вопрос.

— Ну, кто-то же прав. Почему не католики?

— Такое впечатление, что ты немного двинулся.

Алюминиевый кант столешницы слегка разошелся на углу, в вершине *V*-образной расщелины прочно угнездилась хлебная крошка.

— Надо же быть открытым любым возможностям, разве нет?

— *Эта* возможность мне не подходит.

— Да я... Я просто думаю об этом.

— Ты всегда был лучшим католиком, чем я, — говорит Тайлер.

— Я был всего лишь сговорчивее. И ты знаешь, никто из священников ко мне ни разу не приставал.

— А это так для тебя важно?

На кухне пахнет кофе — свежесваренным и тем, что подгорает на металлическом диске, который нагревает кофейник. Запах лосося, которым они вчера ужинали, тоже еще различим. Этот специфический кухонный дух — с тех пор как слегла Бет, он несколько переменился, но по сути остался тем же. Когда у Бет было больше сил, в нем доминировали нотки поджаристого теста и жженого сахара, их призрачное звучание ощущается и теперь. Сквозь него подобием пентименто проглядывает намек на жареную свинину (воистину призрак, поскольку свинины они никогда не жарили) и, возможно, мужской пот.

— После всех этих разоблачений в новостях, — говорит Баррет, — я порой задумываюсь: почему ж на меня-то никто не позарился? И первое, что в голову приходит: а кому такой жирдяй нужен? Бред, конечно.

— Это как сказать.

— Но ведь бывает, что одно и то же — и фигня полная, и в то же время правда.

— Нам с тобой обоим ясно, что ты несешь чушь.

— Может быть. Но нет, правда, что конкретно выигрываешь, если ты такой умный и никому не достался? Есть разве польза от того, чтобы всем поголовно отвечать решительным "нет"?

— Я не готов обсуждать эту тему. Время не самое подходящее.

— Ладно, тогда я на работу.

— Чао.

— До вечера.

— До вечера.

—Тебе правда нравится драться? — спрашивает Лиз у Эндрю.

Она готовит ему завтрак, как какая-нибудь фермерская женушка. Это даже в чем-то сексуально. Не асексуально уж точно. Она представила себя крупной женщиной с решительными чертами лица, взбивающей яйца в стальной миске, женщиной, которая живет в доме посреди тонущего в птичьих трелях зеленого простора, слишком самодостаточной и твердо стоящей на ногах, чтобы поддаваться тревогам, превосходящей мужа умом и осмотрительностью, лишенной, быть может, его болтливого шарма, но зато столь глубоко уверенной в себе, что всей этой глубины он не в силах даже вообразить.

Эндрю курит, развалившись на стуле, в трусах и шерстяных носках. Будь ему известно, насколько он сексуален, он не вынес бы этого знания. А вдруг он знает? Вдруг он вообще умнее, чем кажется?

— Чего? — спрашивает он.

— То, что ты на крыше говорил. Что иногда без драки не обойтись.

— Не, ну да. Я, знаешь, мордобоя не люблю, но, если дойдет, ноги не сделаю.

— Нет, я спрашивала, скорее, не кажется ли тебе, что мелкие раздоры нужны, что они возбуждают?

Эндрю, обрати внимание. Я спрашиваю, не наскучило ли тебе, что я веду себя слишком по-матерински, что слишком бесцеремонна и добра. Может, тебе интереснее будет особа резкая и суровая, которая сознает, какое она сокровище, и потому плюет на твои чувства, которая никогда и ни за что не просит прощения?

— Мальчишкой я все время дрался, — говорит он. — Знаешь, когда часто переезжаешь...

Это они уже проходили.

Она ставит перед Эндрю полную тарелку. Он выдыхает носом облако дыма и мускулистой рукой обнимает ее за бедра.

— Каждый раз нужно правильно себя поставить, — продолжает он.

Они это проходили. Любой разговор Эндрю сводит к воспоминаниям, но обычно это занимает у него больше времени. Такой ностальгии по прошлому не встретишь больше ни у одного человека в возрасте двадцати восьми лет. Собственное прошлое для него — священная книга, средоточие мудрости, и всякий раз, когда надо ответить на вопрос, даже если вопрос этот гроша ломаного не стоит, он непременно справляется в Книге Переезда Нашей Семьи в Феникс, в Книге Того Года, Который Я Целиком Провел в Больнице или в Книге Начала Приема Мною Наркотиков.

Лиз забирает у него сигарету, затягивается — все это исключительно ради образа сексуальной мамочки — и ловким щелчком отправляет окурок в мойку.

— Кушай, детка, — говорит она.

— А ты?

— Меня еще слишком штырит.

Это не совсем правда. Но сейчас, прямо сейчас, когда они спустились с крыши, ей хочется быть их общей с Эндрю галлюцинацией. Здоровый аппетит в эту роль не укладывается.

Он с совершенно собачьим удовольствием уплетает завтрак. В окно бьет метель.

Прежде чем он успел продолжить Сагу о Моих Детских Драках, Лиз говорит:

— Девочкой я всем морды била.

— Не верю.

— Напрасно. Я весь третий класс в страхе держала.

— Не могу даже представить.

А ты постарайся, дорогой.

Она гладит его по рыжей голове, проводит пальцем по серебряным колечкам у него в ухе, чем вызывает у себя легкий приступ нежности и сострадания. Она знает, что ждет его впереди, и даже испытывает легкое чувство вины за это знание, но что она может поделать? Предупредить его? Рассказать, как станет разрушаться его глуповатая красота...

— Ты не знаешь, как это забавно — быть самой бедной в районе. Мои родители страшно гордились своим маленьким домом у самой границы того самого района.

— Ну правильно...

— Им удалось купить дом, сразу за которым хороший район кончался, и это, как выяснилось, означало, что можно отдать детей в хорошую школу.

— Это что, плохо?

— Нет. Просто вдруг оказалось, что меня учат не алкаши и не психопаты. Еще оказалось, что в классе меня не выносят, потому что я несчастная замухрышка. А потом я пришла в школу в туфлях, которые опознала Дора Мейсон...

— В смысле?

— Туфли, в которых я пришла в школу, незадолго до того одна моя одноклассница пожертвовала в церковную благотворительную лавку. Я об этом ничего не знала. А туфельки мне очень нравились — такие сиреневые, с пряжечками, так прямо и вижу... Короче, мать умудрилась купить мне не просто туфельки, а обноски, которые отдала бедным самая подлая девчонка в классе.

— Засада, — говорит Эндрю.

— Еще какая засада. Так вот, Дора, натурально, рассказала всем, что на мне за туфли. А я набила ей морду.

— Ну ты даешь.

— Я прикинула: если меня не любят, то пусть лучше боятся. И это путь оказался верным.

Эндрю ухмыляется, при этом видно кусочки пищи, застрявшие у него между зубами. Как ему удается не выглядеть совсем уж придурком? Может, все дело в его невинности, интеллектуальной нетронутости, в том, что ему невдомек, как сгущается вокруг него судьба, как незаметно и обыденно, крошечными дозами наступает будущее.

— Только меня не бей, ладно? — говорит он.

— Не буду.

И, доверчивый, как ребенок, он снова набрасывается на еду.

Лиз склоняется над ним и нежно, без намека на какое-либо продолжение, целует в макушку. Она пахнет... пахнет неукротимой, пронзительно свежей и беспримесной жизненной силой. Еще совсем чуть-чуть отдает гелем для волос (это "Дуэйн Рид", не слишком известный продукт, купленный им как самый дешевый на полке), а фоном присутствует запах — Лиз кажется, что так может пахнуть процесс роста, идущий, подобно росту травы, бессознательно и помимо каких-либо усилий, такой же обыденный и безусловный. Запах головы Эндрю, как и запах травы, не спутаешь ни с чем на свете.

Рано или поздно он встретит женщину моложе. Так бывает. Для него это будет мучительно — чего-чего, а жестокости в нем нет и в помине, — и, соответственно, на все время совершения предательства по отношению к ней ей придется стать ему нянькой, придется поддерживать его, уверять, что главное для нее, чтобы он был счастлив, и при этом, разумеется, врать.

Довольно скоро он откажется от довольно случайного желания стать актером. Поймет, что для этого ему не хватает безоглядного куража и маниакального оптимизма. Начнет заново устраивать свою жизнь.

И будет заниматься этим уже без Лиз.

Со временем он найдет себе нормальное занятие (*Эндрю, впереди не так уж много времени*). Встретит женщину, не ту, в связи с чьим появлением его будет мучить чувство вины, от которого Лиз будет помогать ему избавиться, а следующую за ней (или следующую за следующей). Он родит ребенка — чудо явления на свет живого теплого существа, сотворенного буквально из ничего, будет означать для него среди прочего невозможность впредь начать жить заново. На это элементарно не хватит денег. Так что, мужчина-дитя, вот твоя жизнь, вся она в этой женщине и ребенке — отдавай им свою любовь без остатка, потому что ничего другого у тебя больше не будет, во всяком случае в обозримом будущем.

А Лиз тем временем (если уж заводить об этом речь, а сама она умеет вести речь практически обо всем на свете) будет крепкой, способной при желании нагнать страх пожилой дамой в темных очках, с затянутой в тугой хвост седой шевелюрой, будет по-прежнему зарабатывать столько денег, сколько ей нужно, по-прежнему встречаться с парнями вроде Эндрю, уязвленная (к чему скрывать?) своею любовью к ним и от этого еще глубже пораженная их сиюминутной верой, будто весь мир простерт у их ног, — пораженной, как поразился бы фермер, узнай он внезапно, что сердце его разорвется прежде, чем он разменяет восьмой десяток, а его жена проживет еще тридцать, а то и больше лет, безмятежная и величавая, как товарные поезда, испокон века оглашающие гобойными стонами укутанные мглой поля.

Баррет ушел, Тайлер тихо поет на кухне. Когда проснется Бет, неизвестно (то, что она стала так много спать, — это признак выздоровления, того, что организм готовит к новому бою свои потрепанные резервы, или просто ее тело… учится умирать?).

Та-тА та-тА надежды льдышка…

Та-тА та-тА кинжал изо льда…

Тьфу, достало!..

Ну почему, думает Тайлер, почему ему так непробиваемо трудно, так идиотически тяжело дается эта вещь? Он талантлив. На гениальность не претендует (ну только разве, может быть, слегка — и то в редкие моменты слабости). Ему не надо корчить из себя Моцарта или Джими Хендрикса. Он не проектирует арочный контрфорс и не пытается порвать пространственно-временной континуум.

Он всего-то сочиняет песню. И хочет от нее на самом деле совсем немногого — приятного для слуха сотрясения воздуха, которое продолжалось бы чуть дольше трех с половиной минут.

Или... Ну хорошо: Тайлер хочет, чтобы она вышла лучше — самую малость, ну пожалуйста, *самую малость лучше* — того, на что он способен. Как яблоко, до которого почти дотянулся, но не можешь сорвать. Вот если бы еще чуть-чуть вскарабкаться по стволу, если бы руку немножко длиннее...

В мифологическом пантеоне, уверен Тайлер, очень не хватает одного сюжета.

Герой сюжета — человек, который делает что-то руками. Пусть это будет столяр, хороший столяр. Его изделия добротны и прочны, дерево он использует выдержанное, кромки сглажены, стыки сделаны аккуратно и надежно. На его стульях приятно сидеть, столы никогда не шатаются.

Однако проходит какое-то время (не правда ли, времени повсюду принадлежит ключевая роль?), и у нашего столяра возникает желание смастерить нечто лучшее, нежели идеально выровненный стол или удобный стул, так и зовущий на себя присесть. Он хочет сделать что-то абсолютно прекрасное, что-то чудесное, стол или стул, который *имеет значение* (он сам не очень понимает, что имеет под этим в виду); нет, не то чтобы такой возвышенно-благородный стол, чтобы он принялся извиняться за свое приземленное мебельно-функциональное существование, не то чтобы стул, высказывающий собственное мнение о всяком, кто на него ни сядет, нет, но в то же время эти стол и стул должны устроить переворот, совершить революцию, потому что они... что? (*Что?*)

Потому что...

...они оборотни, выглядят по-разному для каждого, кто бы на них ни смотрел (Гляди, это же стол с фермы моего дедушки! Боже, это стул, который наш сын делал в подарок на день рождения моей жене, когда в той аварии... стул закончен, да как такое возможно?).

Потому что...

...стол — реинкарнация вашего покойного отца, такой же терпеливый, сильный и надежный, а стул — это же мать, появления которой вы так ждали, но не дождались, — она добрая, понимающая, умеет когда надо утешить.

Разумеется, делать такую мебель столяр не может, но зато живо ее себе представляет и потому долгие годы со все нарастающим ощущением тревоги обитает в пространстве между тем, что он способен создать, и тем, что рисует ему воображение.

Кончается история тем… кто его знает чем?

Она может закончиться тем, что оборванный старик, торговец вразнос никому не нужным хламом, к которому столяр был когда-то добр, дарит ему исполнение желания. Но ничем хорошим это не заканчивается, ведь так? Кого-то из тех, кто садится на его стул или опирается локтями на столешницу его стола, повергают в ужас чудесным образом вызванные воспоминания, другие от усовершенствованных версий своих родителей впадают в ярость, поскольку хочешь не хочешь вынуждены вспоминать, что на самом деле дали им отец с матерью.

Или: после того как желание столяра исполнилось, он принялся воображать мебель, наделенную еще большей магической силой. Может, в его воображении она лечила тяжелые болезни, умела внушать подлинную и прочную любовь? И столяр провел остаток своих дней в поисках старого разносчика, который, надеялся столяр, новым своим заклинанием сделает так, что пресловутые стулья и столы будут не только утешать людей, но и менять их, преображать…

Существует вроде бы закон мифофизики, гласящий, что волшебное исполнение желаний непременно приводит к трагедии.

Как вариант, столяр разочаровался. В этом варианте нет ни разносчика, ни исполненного желания. Все более осознавая, сколь незыблемы границы реального, себя самого столяр ограничивает радостями работы шкуркой и столярным метром — изготовление стула или стола, лишенного волшебных свойств, больше не приносит ему удовлетворения, ибо слишком долго он воображал то, что можно было вообразить и невозможно — сделать. Финал истории: столяр, нищий и злой, осыпает проклятиями бутылку, в которой кончилось вино.

А еще столяр в конце может превратиться в дерево (волею разносчика, ведьмы или бога) и, дожидаясь, пока его срубит другой, молодой столяр, размышлять над тем, перейдет ли какая-то важная часть его существа в столы и стулья, которые из него сделают.

Тайлер никак не придумает окончания, которое бы вполне его устраивало.

Ладно, тогда снова за песню. Еще раз с самого начала.

Войти в ночи в промерзшие чертоги,
Там отыскать тебя на троне изо льда…

Не так уж и плохо, правда? Или слишком сопливо, мол, обычная депрессия прикинулась глубоким чувством? Поди разберись.

Поддавшись постыдному порыву, он включает радио. Посторонний голос сейчас не будет лишним на этой кухне.

Возникает ведущий с поставленным звучным баритоном, способным вещать только правду.

"...такими темпами скоро закончится, поэтому все внимание теперь приковано к Огайо и Пенсильвании..."

Тайлер выключает приемник. Нет, это невозможно. Буш перебил уйму народу и обрушил экономику, но это еще не все. Он к тому же насквозь искусственный — недалекий отпрыск привилегированных протестантов, переделавшийся в прирожденного техасского ковбоя. Сплошное надувательство — вроде сомнительного зелья от облысения, которое коммивояжеры втюхивают провинциалам. Неужели еще кто-то может отправиться голосовать (у них там в Огайо и Пенсильвании, интересно, тоже снег?) с мыслью: давайте вот это все продлится еще на четыре года?

А этот "трон изо льда" не отдает ли подростковой романтикой? Где та грань, за которой от страсти остается лишь наивность?

Тайлер размышляет над словом "осколок", когда на кухне появляется Бет. Гипсово-бледная, в ночной рубашке, она похожа на викторианскую сомнамбулу.

Тайлер поднимается и идет ей навстречу так, будто она только что вернулась из далекого путешествия.

— Эй, привет! — говорит он, обхватывает рукой ее хрупкие плечи и нежно прижимается лбом к ее лбу.

Она невнятно бормочет что-то радостное. Какое-то время они стоят обнявшись. Это происходит у них каждое утро. Неважно, думает ли Бет при этом о том же, о чем Тайлер, но она явно ценит эти минуты утренней сонной безмолвности. Стоя так в объятьях Тайлера, Бет не произносит ни слова — она то ли знает, то ли интуитивно чувствует, что первые же сказанные слова перенесут их в день, и, хотя они скоро все равно в него перенесутся, они обнимают друг друга не для того, а чтобы помедлить, передохнуть, ради абсолютного покоя, когда еще можно обнимать друг друга, когда можно вместе молчать — им двоим, пока что живым, в окружении тишины.

Баррет шагает по заснеженной улице, за ним развевается шарф в зеленую клетку (единственная его уступка цвету), на два фута выпущенный из-под толстого пальто. Забавно: час назад, когда он бежал сквозь метель в одних шортах и кроссовках, холод его только бодрил, оживлял восприятие, как оживляется оно у человека, упавшего за борт и, к изумлению своему, обнаружившему, что может дышать и под водой. А теперь в ботинках, пальто и шарфе Баррет еле волочит ноги, пробираясь по ледяным полям Никербокер-авеню неполноценным подобием адмирала Пири[1], которого на сей раз не поджидает посыльное

---

1   *Роберт Пири* (1856–1920) — американский полярный исследователь, покоритель Северного полюса.

судно и у которого из щиколоток не вырастут крылья, и поэтому остается, склонив голову против ветра, переставлять ноги, обутые в тяжелые ботинки.

В магазине его поджидает уютный мрак, безлюдье и полки с аккуратно и призывно разложенным товаром. А потом откроются двери, и святилище осквернят охотники до японских джинсов, умышленно криворуко связанных шарфиков и футболок с Мадонной, выпущенных к туру *Like a Virgin*.

Двадцать минут спустя со станции линии *L* Баррет выходит на Бедфорд-авеню. Мир уже проснулся. Витрина углового магазинчика сияет сквозь снегопад. Закутанные пешеходы смотрят себе под ноги. В этот час Уильямсберг принадлежит людям в парках "Бёртон" и купленных со скидкой длинных пальто, каждый день добирающимся сюда на работу общественным транспортом; эти сородичи по кочевому нью-йоркскому племени съезжаются из отдаленных мрачноватых пригородов, которые они стали обживать, когда горожане помоложе и побезответственней затеяли открывать здесь кафе и магазины — в числе последних семь лет назад оказались и Бет с Лиз, до сих пор недоумевающие, как угодили они со своим специфическим товаром в помещение бывшего польского турагентства, зажатое между мясной лавкой (теперь это бутик детской одежды с космическими ценами) и благотворительным магазином (где после череды разорившихся ресторанов некий новоявленный оптимист вот-вот откроет наиточнейшую, вплоть до имитации табачной копоти на стенах, копию какого-то знаменитого парижского бистро).

Даже проснувшийся Уильямсберг под снегопадом был тих; снег укутал его, приглушил и заставил присмиреть, напомнив, что и мегаполис подвластен природной стихии, что громадный шумный город раскинулся на той же планете, на которой тысячелетие за тысячелетием люди устраивали жертвоприношения, затевали войны и воздвигали храмы, дабы умилостивить божество, в любой момент способное одним мановением титанической руки уничтожить все живое.

Молодая мать с поднятым капюшоном, по самый нос обмотанная шарфом, толкает перед собой коляску с ребенком, которого почти не видно за пристегнутым молнией прозрачным пластиком. Мужчина в оранжевой непродуваемой куртке выгуливает двух фокстерьеров, обутых в красные ботиночки.

Баррет сворачивает на Шестую Северную. Здесь посередине квартала строго высится кирпичный фасад армянской церкви Святой Анны. Баррет ходит мимо нее каждый день. Обычно церковь закрыта, свет в окнах не горит, псевдосредневековые двери заперты. Время его прихода на работу и ухода с нее не совпадает с расписанием богослужений, и до этого утра он как-то не задумывался, что там, за фасадом, есть еще и помещение. Его бы не удивило, окажись церковь массивом кирпича, не зданием, а монументом, памятником древним ближневосточным распевам, молитвам и целованию икон, проклятиям и упованиям, крещению младенцев и отпеванию покойников. Баррету не верилось, что это безлюднейшее из безлюдных строений в определенные часы оживает.

Но сегодня служат восьмичасовую литургию. Тяжелые коричневые двери распахнуты.

Баррет поднимается по бетонным ступенькам и останавливается у порога. Картина ему открывается странная, но в то же время очень знакомая: давящий полумрак с вкраплениями золота, священник и служки (грузные мальчишки, спокойные, с заученными движениями, не пугала и не герои, обычные расслабленные подростки — его собственные пухлые потомки) совершают обряд перед алтарем, на котором в двух вазах белые хризантемы вянут под сенью громадного, свисающего с потолка распятия — Христос на нем как-то особенно изможден и измучен, из раны в его зеленовато-белой грудной клетке бьет кровь.

С десяток прихожан, насколько ему видно, сплошь пожилые женщины, смиренно преклонили колени на кофейного цвета скамьях. Священник поднимает над головой чашу и хлеб. Верующие, явно преодолевая боль, поднимаются с колен и направляются к алтарю за причастием.

Баррет стоит у порога, на него сыплется снег — снежинки на пальто тают не сразу.

—Х**очу сегодня пойти на работу, — говорит Бет.**

Обряд ежеутреннего молчания исполнен до конца. Бет сидит за столом и по кусочку отламывает от поджаренного Тайлером тоста.

— Уверена? — спрашивает Тайлер. В последнее время он каждый раз гадает, что для нее лучше — делать что-нибудь или беречь силы.

— Ну да, — говорит она. — Я нормально себя чувствую.

Ее аккуратные белые зубки без особого аппетита управляются с поджаристой корочкой. Иногда она похожа на зверька, который подозрительно, но с самыми лучшими ожиданиями пробует подобранную с земли незнакомую еду.

— На улице сильный снег, — говорит Тайлер.

— Тем более хочется пойти. Хочу, чтобы на меня снег сыпал.

Тайлер хорошо ее понимает. В последние недели она особенно жадно стремится получить те немногие сильные ощущения, на какие у нее еще хватает сил.

— Баррет уже там.

— В такую рань?

— Он сказал, что хочет побыть в одиночестве. Что ему нужна доза полного покоя.

— А мне нужно на улицу, в сутолоку и непогоду, — говорит она. — Ведь всем нам хочется чего-то разного, да?

— В общем, да. Всем нам хочется *чего-то*.

Бет хмурится на недоеденный кусок тоста. Тайлер протягивает руку и кладет ей на бледное предплечье. Он не ожидал от себя такой неуверенности по отношению к Бет, не думал, что будет сомневаться, то ли он ей говорит и то ли делает. Лучше всего у него получалось просто сопутствовать ей по ходу совершающихся с ней перемен.

— Раз так, пойдем с тобой помоемся, — говорит он.

Он наполнит ей ванну, намылит плечи, польет ей теплой водой спину с торчащими позвонками.

— А потом я могу проводить тебя до метро. Хочешь?

— Да, — говорит она с чуть различимой улыбкой. — Хочу.

Бет очень чувствительна к тону, каким он предлагает ей помощь. В ответ на чрезмерную заботу она закусывает удила (*"Спасибо, на пару пролетов я и сама могу подняться"*, *"Видишь, я разговариваю с человеком, все нормально, мне здесь нравится, и пожалуйста, перестань спрашивать, не надо ли мне прилечь"*); уловив недостаток внимания, негодует (*"Между прочим, хотя бы на последних ступеньках мог бы и помочь"*, *"Не видишь, я совершенно без сил, поехали домой прямо сейчас"*).

— Доедай.

Она быстро, как хищник, кусает тост и кладет на стол.

— Не могу, — говорит она. — Вкусно, но правда больше не могу.

— Я на весь город славлюсь своими тостами.

— Пойду оденусь.

— Давай.

Она встает, подходит к нему, легонько целует в лоб, и на мгновение кажется, что это не он ее, а она его поддерживает и утешает. Это не первое такое мгновение.

Тайлер знает, что сейчас будет делать Бет. Она расстелет выбранную на сегодня одежду по кровати, дотрагиваясь до нее нежно, как если бы ткань пронизывали нервы. В эти дни она надевает только белое. В одних культурах этот цвет символизирует девственность, в других — траур. В случае Бет белый означает полуневидимость, пребывание в промежутке, не-там-и-не-здесь, паузу; потому он и кажется ей самым подходящим, тогда как цветная или черная одежда несла бы в себе неуместные, а то и оскорбительные коннотации.

Баррет сидит в пустом магазине, как молодой раджа среди своих сокровищ. Сокровища — это, конечно, сильно сказано: окружает Баррета, как выражается Лиз, "товар".

Его работа не то чтобы прямо-таки высокое искусство, и исцеления она не дает. Но все же…

Все же она не муторна. Может, ей и не достает глубины, но ни муторной, ни заурядной эту охоту за маленькими сокровищами точно не назовешь. Они — Лиз, Баррет и Бет — заняты тем (Бет по мере сил, которых у нее в последнее время почти не бывает), что выискивают самородки в отвалах пустой породы, маленькие чудеса вроде кожи толщиной с бумагу, грубой чернильно-синей джинсы или подвесок-талисманов — этих доступных (или полудоступных) по цене подобий усыпанных каменьями платков, говорящих книг и механических золотых слонов, сокровищ, которые получали некогда в дар султаны; добывают предметы обихода и одежды, возможно, созданные пару столетий назад какими-нибудь английскими портными или ткачами, милыми чудаками с быстрыми ловкими пальцами, просыпавшимися по утрам с нетерпеливым желанием вязать шапки или ковать серебряные амулеты, людьми, не вовсе чуждыми колдовства, верившими на некий свой первобытный лад, что из рук их выходят не просто изделия, а латы, которые уберегут праведного воина при штурме башни великого визиря.

И да, все мы существа материальные. Кому, как не Баррету, об этом знать? Знакомы ли кому-то лучше, чем ему, те невидимые нити, что увязывают томление души с облачениями, те чинные процессии златотканых риз и прокрахмаленный белый шорох стихарей пред полным страдания взором деревянных глаз распятого Христа? Разве не хочет, не стремится горячо весь земной мир в подобающем случаю уборе прошествовать гордо и покаянно во славу какого-нибудь спасителя или святого? Каждому из нас, почитателей бесчисленных божеств и кумиров, нужны свои ризы, которые представили бы нас в наилучшем обличье, позволили со всей доступной нам красотой и грацией пройти свой земной путь, прежде чем быть закутанными в саван.

Баррет сидит за прилавком, перед ним разложены "Таймс", "Пост" и потрепанная "Госпожи Бовари", которую он перечитывает в шестой раз. Баррет берется поочередно то за одно, то за другое.

Вот пишет Флобер:

Однако она все ждала какого-то события. Подобно морякам, потерпевшим крушение, она полным отчаяния взором окидывала свою одинокую жизнь и все смотрела, не мелькнет ли белый парус на мглистом горизонте. Она не отдавала себе отчета, какой это будет случай, каким ветром пригонит его к ней, к какому берегу потом ее прибьет, подойдет ли к ней шлюпка или же трехпалубный корабль, и подойдет ли он с горестями или по самые люки будет нагружен утехами. Но, просыпаясь по утрам, она надеялась, что это произойдет именно сегодня, прислушивалась к каждому звуку, вскакивала и, к изумлению своему, убеждалась, что все по-старому, а когда солнце садилось, она всегда грустила и желала, чтобы поскорее приходило завтра[1].

1   Перевод Н. Любимова.

А вот "Таймс":

> Спамер Джереми Джеймс, восьмой по масштабу деятельности спамер в мире, признан сегодня виновным по трем уголовным статьям и понесет наказание за рассылку нескольких тысяч незапрошенных электронных писем рекламного характера с серверов, расположенных в штате Вирджиния.

Все верно. Выискивать во мгле парус, дожидаясь судна, которое вдруг да придет; шарить взглядом по экрану компьютера в поисках... маловероятной подсказки, золота, которое преспокойно лежит закопанным у тебя во дворе...

А вот это пишут в "Пост":

С КАМЕННЫМ СПОКОЙСТВИЕМ
В Нигерии две женщины до смерти забиты камнями по обвинению в супружеской измене, которая по законам ислама карается смертной казнью.

Флобер ведь казнил Эмму за совершенное ею преступление? Да и в то же время нет. Флобер не был моралистом... или, лучше сказать, за измену мужу он не стал бы грозить Эмме своим пухлым розовым пальцем. Он был моралистом в более широком смысле. Если уж на то пошло, он писал о мире французских буржуа, таком душном, помешанном на респектабельной посредственности…

Эмму же заспамили, верно? Ее ведь погубила не измена, а то, что она поверила в жуткую ерунду.

Такое у Баррета сейчас развлечение — он придумал себе Проект Безумного Синтеза, составляет мысленный альбом вырезок, воображаемое фамильное дерево, где вместо предков — события, обстоятельства и состояния страсти.

С "Госпожи Бовари" он начал просто потому, что это его любимый роман. Ну и с чего-то надо же было начать.

Разумеется, результатов у проекта не будет. Он ничего такого не даст. Баррет, однако, думает (надеется), что при простой, как у него, работе от подобных необязательных и бесцельных проектов есть прямой толк. Он работает в магазине, продает товар, и это сполна оправдывает исследования, не имеющие ни цели, ни аудитории, исследования, выводы из которых никто не станет ни обсуждать, ни опровергать. К тому же еще у его проектов и работы есть точки пересечения. Открыв магазин (то есть через двадцать минут), он примется размышлять над тем, какая же из череды проходящих перед ним Эмм Бовари нанесет смертельный удар себе и своей семье покупкой трехсотдолларовых джинсов или винтажной косухи за девятьсот пятьдесят (цена смутила даже Лиз, но она знает толк в законах рынка и понимает, что заоблачные суммы обычно внушают доверие). Впрочем, это только в книжках так бывает, думает Баррет, чтобы мелочность и алчность уничтожали целые семьи. На дворе не девятнадцатый век, а люди двадцать первого могут истратить все деньги со своих кредитных карт и превысить кредит, но к реальной гибели такие пустяки больше никого не приводят. Всегда есть возможность договориться с банком, а если совсем припрет — объявить себя банкротом и потом начать с чистого листа. Никто сейчас не станет глотать цианистый калий из-за купленных сдуру байкерских сапог.

Это само по себе, может, и здорово, но, с другой стороны, порою не слишком приятно сознавать, что существуешь в системе, не оставляющей тебе права на саморазрушение.

И тем не менее в этой безопасной теперь игре с огнем есть нечто, что восхищает Баррета, за чем ему интересно наблюдать и что помогает ему мириться с его нынешним положением. Несмотря на заведомое отсутствие трагических последствий, призрак катастрофы видится ему за каждой сумасбродной покупкой — каждый раз, когда он слышит из уст поиздержавшейся вдовствующей королевы или юного, лишенного наследства графа: "Мне будет море по колено в этой идеально вылинявшей майке с Фредди Меркьюри (за двести пятьдесят долларов)". "Сегодня я пойду на вечеринку в этом винтажном мини-платье от Маккуина (за восемьсот), потому что настоящее важнее будущего. Настоящее — это сегодня, а сегодня вечером я войду в зал, и все ахнут — вот это действительно ценно, а что потом у меня не останется ничего, так к этому я отношусь совершенно спокойно".

Продавец, полагает Баррет, выступает в этой ситуации садистом, но совсем безвредным — ведь никто же, выходя из магазина с покупкой, которая ему не по карману, не бросается с отчаяния под колеса поезда. Поэтому и получается у Баррета, не отягощая себя чувством вины (чувством чрезмерной вины), вживе наблюдать за тем, о чем читал в "Госпоже Бовари", "Будденброках" и "Обители радости".

Баррет зажег только тусклую лампочку, она стоит часовым возле кассового аппарата, проливая на ближайшие окрестности приглушенный янтарный свет. Снаружи едва различимые за стеклом силуэты медленно проплывают вдоль по Шестой Северной улице.

До открытия остается восемнадцать минут.

Он чуть ли не столбенеет от удивления, когда в магазине, отперев дверь своим ключом, появляется Бет.

Она медлит немного в прямоугольнике света со снежной улицы. Кажется, ей на мгновение стало странно от того, что она здесь.

Баррету тоже на мгновение становится не по себе. Точно ли она пробудилась от своего беспрерывного сна? Вроде она должна бы сейчас тихо и мирно, без лишней суеты увядать дома в постели?

— Привет, — говорит она.

Баррет отвечает ей не сразу. Прежде чем произнести "привет", ему надо принять Бет обратно в мир живых.

Одета она так же, как одевалась все последнее время. Белая бандана (а не какая-нибудь там старомодная шляпка) с утонченной небрежностью повязана на лысой голове, белый свитер и белые лыжные штаны, на ногах — белые туфли на высоком каблуке (и это в такую метель).

Баррет подходит к ней с видом ученого, которого оторвали от его многоумных занятий. Бет отряхивает снег со своих хрупких плеч.

— Ты чего пришла? — спрашивает он.

Она смело улыбается в ответ.

Страшно подумать: Баррета начинает утомлять ее смелость, ее победы над собой. Слишком много на них уходит времени и сил.

— Так, захотелось сегодня, — говорит она.

Мгновение спустя Баррет возвращается в свой обычный, человечный образ. Он обнимает ее, помогает отряхнуться от снега.

— В такую-то погоду? Покупателей сегодня человека три зайдет, больше не будет.

— А мне захотелось, — повторяет она и смотрит на него не терпящим возражений воинственным взглядом, с каким полуголодный мальчишка может размахивать знаменем на баррикаде или отважная девушка-детектив — настаивать, что преступление еще далеко не раскрыто; Баррет читал в этом взгляде тираническое своеволие смертельно больного человека: *для меня больше не существует логики и причинных связей, я делаю не то, что нужно, а то, на что еще способна, и с каждой удачей меня надо поздравлять.*

— Ну и здорово, — говорит Баррет.

Бет придирчивым хозяйским взглядом (магазин они с Лиз открыли вдвоем, деньги дала Лиз, а Бет придумала стилистику и вложила в предприятие свое безошибочное чутье того, что и когда у них станут покупать) окидывает торговый зал, где царит идеальный порядок.

— Неплохо выглядит, — говорит она.

И замолкает. Сколько ее не было… Недели три? Или больше?

— Можно открывать.

Бет делает несколько шагов.

— Джинсы не там лежали, — говорит она.

— Да? Точно. А теперь здесь лежат.

— Они должны быть ближе ко входу.

— Ну, я их как бы переложил. Туда, вглубь, подальше.

— Джинсы — это несущий элемент, — говорит Бет. — Какова главная потребность человека?

Баррет произносит с выражением:

— Найти для себя идеальные джинсы, которые бы сидели как влитые и так подчеркивали достоинства фигуры, что всякое мыслящее существо на планете хотело бы тебя трахнуть.

Она морщится от его художеств. Мантра, которую Бет ожидала услышать, звучит немного иначе: *Все люди хотят найти себе идеальные джинсы. Все уверены, что идеальные джинсы изменят жизнь к лучшему. Человек, который нашел себе джинсы, начинает покупать аксессуары.*

— Если хочешь, переложим их обратно вперед, — предлагает Баррет.

— Да, так будет лучше.

Оказывается, от ощущения собственной значимости, которое дается ему ввиду скорого конца, смертельно больной может становиться более, а не менее докучливым, чем прежде. Кто бы мог подумать?

Проводив Бет до метро, Тайлер возвращается в привычный кухонный уют, тем более комфортный, что в квартире больше никого, насыпает себе две — нет, пусть будет четыре — дорожки и вынюхивает их одну за другой. Он всем существом ощущает звонкий подъем, искра пробегает по нейронам, сознание пронзительно проясняется.

В замоченную кастрюлю падает с крана очередная капля. Похоже, это добрая весть свыше.

Тайлер внезапно и с полной уверенностью осознает, что Бет поправится. Врачи говорят, что шанс у нее есть, а они же вроде принципиально никогда не обнадеживают больных понапрасну.

Бет выздоровеет. Тайлер закончит свою песню, и она наконец будет именно такой, какую он пытается написать уже много лет.

Он чует эту песню у себя над головой. Он почти слышит ее — нет, не мелодию, а шелест ее крыльев. Еще немного, и он подпрыгнет и схватит ее обеими руками, прижмет к груди. И нестрашно, что она больно проедется перьями по лицу, что может поклевать и поцарапать когтями. Плевать. Ему хватит проворства, он готов, он не боится.

Он в конце концов добьется своего, в ближайшее воскресенье тут, в гостиной, пройдет скромная церемония. Все у них устроится. Тайлер напишет красивую, выразительную песню. Баррет найдет крепкую любовь и подобающую работу. А Лиз... Лиз надоедят молоденькие парни, надоест ее собственная решимость превратиться в колоритную пожилую даму, живущую в утрированном одиночестве. Она встретит мужчину, которому удастся дольше обычных нескольких месяцев удерживать ее интерес к себе, который научит ее домашней близости, тихим семейным радостям — древнейшему испытанному источнику человеческого счастья, кроме Бет, известному практически всем.

После того как они с Бет поженятся, после того как Тайлер запишет альбом на маленьком независимом лейбле с безупречной репутацией и этот альбом оценит не самый широкий круг подлинных любителей (на большее замахиваться не стоит), он подыщет новую квартиру — не в таком мрачном районе, с большими двустворчатыми окнами, впускающими вдоволь света, с гладким и ровным полом. А американский народ (и как мог Тайлер в нем сомневаться?) не переизберет худшего в истории страны президента.

Новый, 2006 год

Все позади. Верится в это с трудом.

И тем не менее. Несколько месяцев как позади.

Скорее всего, болезнь еще вернется. Она почти всегда возвращается. Если однажды в силу некоей загадочной причины организм выказал слабость к безумному размножению клеток, охоту к убийственному росту, эти слабость и охота пребудут с ним до конца. Стремление к избыточной репродукции, пусть задавленное, запечатлевается в памяти тела, и по прошествии времени организму гораздо ярче помнится не возврат к умеренности, а безбрежный экстатический отрыв (только мозг ящерицы постигает смерть), и рано или поздно он обычно снова пускается в этот отрыв, оставив всякие попытки сопротивления.

Но сейчас рака нет.

И это не ремиссия. Он исчез без следа. Год назад, в ноябре, опухоли начали уменьшаться и за пять месяцев исчезли совсем. На первых порах казалось, что речь идет о естественных колебаниях размера, к которым они успели привыкнуть. Потом опухоли как-то уж слишком уменьшились. Параллельно сокращалась область поражения в печени. Все это происходило медленно. Какое-то время все думали, что болезнь всего лишь перестала прогрессировать. Но в конце концов, пасмурным днем в начале апреля, у себя в кабинете (том самом, где ледяную белизну стен делал еще студенее украшавший их тосканский пейзаж и где три года назад в общий для Тайлера и Бет словарный обиход вошло словосочетание "четвертая стадия") Большая Бетти проговорила осторожно, что опухоли не просто не растут, но явно (тут Большая Бетти бросила взгляд на монитор, как будто нужные слова были написаны у нее там) должны скоро исчезнуть. Известие это она поспешно сопроводила напоминанием, что, мол, шампанское пока покупать рано. И затем монотонным голосом пожилого опытного священника завела проповедь о мерах предосторожности, о том, что надо, конечно, надеяться, но произойти еще может все что угодно.

Но так или иначе, новообразования продолжали уменьшаться. Патологические изменения в печени сходили на нет. Даже химиотерапевт Страшила Стив произнес слово "чудо", притом что оно явно не из его словаря.

И вот теперь Бет с Тайлером встречают Новый год все в той же бушвикской квартире (они обязательно из нее переедут, Тайлер в этом абсолютно уверен, переедут сразу же, как только у него появятся деньги). Гостиная опутана разноцветными гирляндами. Телевизор показывает записанное на *DVD* потрескивающее пламя камина. Тут и там развешаны зеленые клубочки омелы, они высохли до хруста, но все равно должны с Рождества довисеть до наступающего года, такова традиция, а прежде в семье Миксов (то ли из духа противоречия, то ли от лени и апатии) традиции блюли плохо. Каждый год все у них делалось в последний момент и впопыхах — Тайлер с удовольствием так бы и продолжал, но Баррет положил конец вечным импровизациям. Здесь, в Бушвике, они не покупали елку в последний момент, не добывали подарки второпях накануне праздника (отчего они бывали порой неожиданными и курьезными, вроде клюшек для гольфа, подаренных на его двенадцатое Рождество Баррету — как бы на случай, если он когда-нибудь увлечется гольфом; а пятнадцатилетний Тайлер получил яркий красно-синий лыжный свитер, притом что уже два года он одевался исключительно в черное и серое). Свою бушвикскую квартиру братья всегда загодя украшали к Новому году, заблаговременно запасались сырами, мясом и хлебом, у них наготове были свечи и жестяные дудки, купленные Барретом на блошином рынке, чтобы дудеть в них ровно в полночь.

За сорок семь минут до полуночи вместе с Тайлером и Барретом, Лиз и Эндрю Нового года ждут Фостер, Нина и Пинг. Все они разряжены в пух и прах: на Баррете шитый золотом жилет, купленный на послерождественской распродаже в "Барнис" (даже с учетом 60-процентной скидки покупка была чистым сумасбродством); в открытом вороте короткого, отливающего стальным блеском платья Лиз виден вытатуированный у ключицы венок из роз и винограда; Эндрю красуется в высоких военных ботинках, обрезанных снизу кальсонах и в майке с обложкой *Dark Side of the Moon*, оригинальной, того самого 1972 года, полученной в подарок на Рождество от Лиз; Пинг расположился на диване в костюме Гусеницы из "Алисы в Стране чудес" и оживленно вещает, обращаясь к Баррету, Фостеру и Лиз из-под полей украшенного вороновым пером цилиндра, который подобал бы скорее не Гусенице, а Безумному Шляпнику. Баррет с Лиз вежливо его слушают. Фостер (в бархатном пиджаке от смокинга с брошью из искусственных бриллиантов) подался к нему, весь внимание. Пинг в его глазах — жрец из чертога мудрости.

Нина и Бет беседуют, стоя в стороне.

К Бет вернулся прежний, сияющий розовый цвет лица, она набрала двадцать четыре фунта ("Гляди, — сказала она, довольная, месяц назад, — какая я *пухленькая!*"). Волосы отросли до прежней длины, и все равно они, похоже, единственное в ее облике, на чем оставило отпечаток путешествие Бет туда, откуда мало кто возвращается. Некогда лениво вьющиеся, соболиной масти, они стали прямыми и тусклыми, не седыми, но и не прежнего насыщенного цвета. Ничего ужасного, волосы как волосы, они, однако, теперь просто свисают, тогда как раньше ниспадали блестящими волнами. Они не выглядят живыми и не выглядят мертвыми. Если бы Бет была девочкой из волшебной сказки, волосы служили бы памятью о ее битве со злой колдуньей, битве, которую эта девочка выиграла, но которая не прошла для нее бесследно. Лиз уговаривает ее покраситься, и Бет обещает, но проходят недели и месяцы, а она так ничего и не делает со своими изнуренными волосами, разве что собирает в тугой узел на затылке. Видимо, ей нужна эта память о битве с колдуньей. Видимо, чем-то ей эта память дорога.

Бет стоит посреди гостиной, обняв Нину за талию. Нина выглядит сногсшибательно: на ее крепком, подвижном теле гимнастки идеально сидит винтажное платье-комбинация цвета слоновой кости, на сильной шее — несколько ниток жемчуга. Она шепчет что-то Бет на ухо, та смеется.

Из кухни появляется Тайлер. Бет отплывает от Нины с изяществом, с каким меняют партнера в танце. Денежные мичиганские родители дали ей великолепное воспитание, она умеет себя держать, знает толк в собаках и яхтах и всегда, побывав в гостях, шлет хозяевам благодарственные записки.

Бет целует Тайлера. Дыхание у нее снова свежее, ни лекарствами, ни тухлятиной оно больше не отдает.

— Ну что, — говорит Тайлер. — Совсем скоро наступит 2006 год.

— Только ты постарайся обязательно первым меня в полночь поцеловать, ладно? — шепотом просит она.

— Конечно.

— Чтобы Фостер не попытался опять весь кайф мне обломать.

— Он не станет. Ты теперь замужняя женщина.

— А ты женатый мужчина. После свадьбы ты, по-моему, стал для Фостера еще привлекательней.

— Интерес Фостера к недосягаемому для него, немолодому и абсолютно безденежному натуралу навсегда останется загадкой.

— У Фланнери О'Коннор, если не ошибаюсь, есть рассказ про то, как лебедь влюбился в птичью купальню. Помнишь?

— Про лебедя и купальню было где-то у нее в письмах. Она называла это типично южным чувством реальности.

— Это же про Фостера, тебе не кажется? Он в реальности всего лишь гость.

Тайлер смотрит в ясное, совсем незлобивое лицо Бет. В ее словах нет ни тени досады, ее не напрягает, что Фостер неравнодушен к Тайлеру. Она стремится — и стремилась всегда — из возможных миров жить в самом изобильном и полном разнообразия.

Тайлер обнимает ее. Так много хочется ей сказать, что он не находит слов. Она кладет голову ему на грудь.

И тут откуда ни возьмись подступает страх.

А правильно ли сегодня вот так вот праздновать? Конечно, правильно. Какие еще есть варианты?

Но разве возможен нынешний праздник без предвкушения будущих воспоминаний, без мыслей о том, соберутся ли они накануне нового 2008, 2012 или какого там еще года ради общих воспоминаний о теперешнем новом, 2006 годе, который они, глупые дети, отмечали так, будто Бет полностью и окончательно исцелилась? Каким вспомнятся им сегодняшний вечер и их собственные заоблачные надежды и исступленная благодарность?

И все же — Страшила Стив, химиотерапевт, произнес слово "чудо". Это что-нибудь да значит?

Баррет оставляет собравшуюся вокруг Пинга компанию, прихватывает с журнального столика бутылку шампанского и подходит с ней к Тайлеру и Бет. Налив им и себе шампанского, он поднимает свой бокал:

— Счастья в наступающем году.

— Счастья в наступающем году, — отзывается Бет.

Они втроем чокаются.

Тайлер при этом еле сдерживается, чтобы не сказать: *счастья в 2006 году? А вам что-нибудь говорят имена Джон Робертс и Сэмюел Алито[1]? Вас, надо полагать, устроили действия властей во время и после урагана Катрина? И вас что, ничуточки не напрягает, что нами второй срок подряд правит худший в истории президент?*

Но Тайлер молча пьет свое шампанское.

---

1   Соответственно председатель и член Верховного суда США, известные консервативными взглядами. Назначены на должность президентом Бушем в конце 2005 года, несмотря на ожесточенное сопротивление демократов и представителей разного рода левых сил.

Чего ему еще не хватает? *Бет выздоровела.* Он повторяет про себя эту короткую фразу: Бет выздоровела. С какой стати ему теперь хотя бы одну клетку своего мозга занимать мыслями о новом консервативном составе Верховного суда?

Неужели перед Тайлером один путь — превратиться в старого, повернутого на справедливости фрика?

Баррет смотрит на него. Баррет чувствует, когда надо поддержать взглядом, и Тайлер ему за это благодарен.

— Можно тебя на пару минут? — спрашивает Баррет у Бет.

— Да на сколько угодно, — отвечает она.

Тайлер выпускает Бет из объятий. Баррет предлагает ей руку, в одно и то же время пародируя этикет и соблюдая его.

— Я обещал Пингу, что только пойду проверю, у всех ли налито шампанское, и вернусь дальше слушать его обличения Джейн Боулз[1].

— Пинг вообще хороший, — негромко говорит Бет почти на ухо Баррету. — Как думаешь, его можно вылечить от этой привычки обличать?

---

1 *Джейн Боулз* (1917–1973) — американский прозаик и драматург. Долгое время жила в Марокко.

— Это дело непростое. Он же произносит не обычные обличения…

— А какие тогда считать *обычными*?

— Он не перефразирует по сто раз что-то давно ему известное, обличения у него не профессиональные, а *вдохновенные*.

— Ну да.

— Он делает для себя какое-то открытие, и ему сразу надо все, что узнал, рассказать другим.

— Он жутко любопытный. Не знаю человека любопытнее.

— Это ж прелестно, — говорит Баррет.

— Да.

— Но иногда бесит.

— Тоже правда.

— Эй, вы двое, у вас там что, междусобойчик образовался?

Баррет с Бет подходят к дивану, на котором величественно восседает Пинг и разглагольствует перед Фостером и Лиз, а они сидят по обе стороны от него, как служки при жреце. Баррет усаживается в зеленое кресло лицом к компании, Бет пристраивается на подлокотник.

Пинг вещает о том, что Джейн Боулз — это Святая Покровительница Чокнутых Дам[1], но Баррету

---

1 Главное произведение Джейн Боулз — роман "Две солидные дамы" (1943). Здесь и далее Пинг рассуждает именно о нем.

слушать его неинтересно. Все то, что стало недавним откровением для Пинга, он давно уже про Джейн Боулз знает, но перебивать Пинга нельзя — он страшно обидится, поскольку подает ее своим слушателям как собственную редкостную находку, дикарку, им, Пингом, вывезенную с Черного континента и представленную теперь восхищенной публике.

Ради праздничного вечера, ради всего доброго и хорошего, что еще осталось у него в душе, Баррет старательно гонит от себя мысль: *избавь нас Боже от тех, кто считает себя умнее, чем они есть на самом деле.*

Фостер сидит слева от Пинга и восторженно его слушает. Фостер все никак не решит, кем стать. С двадцати лет он зарабатывал на жизнь (и законным образом, и не очень) благодаря завораживающей техасской симметрии лица и удачно доставшейся от предков фигуре. Теперь, когда внешность его несколько поизносилась (ничего не поделаешь, таков удел всех смертных) и потеряла рыночную ценность, Фостер пытается подыскать себе какое-нибудь занятие.

Баррету тревожно за Фостера: ему тридцать семь, им не владеет всепоглощающая страсть, им не руководит непререкаемый принцип, и поэтому он мечется, хватается то за одно, то за другое. Фостер хочет устроить себе новое будущее, но устраивает его настолько бессмысленно и бессистемно, что как бы ему не продолжить это занятие и в пятьдесят лет, к тому времени по-прежнему работая официантом или выискивая в интернете клиентов среди любителей зрелых партнеров (*Ищете настоящего мужчину? Я знаю, что вы хотите. Я знаю, что вам необходимо*).

Кто-то, возможно, подумает, будто Баррет в своих поисках как две капли воды похож на Фостера.

Думать так неправильно. Но Баррету самому странно, насколько ему неохота переубеждать тех, кто просто не в курсе.

Баррет — скромный продавец. Он торгует шмотками. Но втайне, для себя он трудится над Единой Теорией Поля Всего на Свете — как и вообще большинство стоящих проектов, его работа обречена на неудачу и является бредовой в лучшем случае наполовину.

Начать с того, что солнечная система и субатомные частицы подчиняются разным законам физики. Хотя очевидно, что и там и там законы должны быть одни, что планета должна летать вокруг солнца более-менее так же, как электрон вокруг атомного ядра. Но нет, как бы не так!

Баррет, к сожалению, не физик. Природа обделила его этим даром.

Поэтому он размышляет о другом.

В финале "Госпожи Бовари" сообщается, что месье Омэ — воплощение самонадеянной посредственности, деревенский аптекарь, чьи снадобья погубили больше людей, чем вылечили, — награжден орденом Почетного легиона.

Омэ, разумеется, персонаж выдуманный. И все же. Среди реальных кавалеров ордена — Борхес, Кокто, Джейн Гудолл[1], Джерри Льюис[2] (правда-правда), Дэвид Линч, Шарлотта Рэмплинг, Роден, Десмонд Туту[3], Жюль Верн, Эдит Уортон[4] и Ширли Беси, исполнившая заглавную песню в "Голдфингере".

В число наших американских героев, мужчин и женщин, которые наверняка бы удостоились американской версии ордена Почетного легиона, конечно же, входят Уолт Уитмен, Томас Джефферсон, Соджорнер Трут[5], Джон Адамс[6], Гертруда Стайн, Бенджамин Франклин, Томас Эдисон, Сьюзен Эн-

---

1   *Джейн Гудолл* (р. 1934) — английский биолог, известный исследователь поведения шимпанзе.

2   *Джерри Льюис* (р. 1926) — американский актер-комик, режиссер и сценарист.

3   *Десмонд Туту* (р. 1931) — архиепископ Кейптаунский, видный борец с апартеидом.

4   *Эдит Уортон* (1862–1937) — американская писательница.

5   *Соджорнер Трут* (1797–1883) — американская аболиционистка и феминистка, рожденная в рабстве.

6   *Джон Адамс* (1735–1826) — первый вице-президент и второй президент США.

тони[1], Джон Колтрейн, Момс Мейбли[2] и Джаспер Джонс[3].

Но в один с ними список попадает и Рональд Рейган, которого уже вспоминают как одного из величайших американских президентов, и Пэрис Хилтон — одна из самых известных из ныне живущих людей.

Баррет пытается по мере сил свести все это воедино. Начиная с "Госпожи Бовари".

А еще он видел небесный свет. Который видел его.

Этого достаточно Баррету, чтобы идти узким путем, чтобы стремиться к знанию ради самого знания. Он обитает в срединной сфере. Он больше не работает барменом в загибающемся итальянском ресторане в Портленде, но и не вымучивает из себя умные статейки, цепляясь за преподавательское место в каком-нибудь заштатном университете. Он продает вещи, которые приносят людям радость. И втайне ведет свои одинокие штудии.

Ему этого вполне хватает. Да, конечно, все от него ожидали совсем другого. Но ведь правда же очень тоскливо и уныло оправдывать ожидания, которые возлагают на тебя посторонние?

---

1   *Сьюзен Энтони* (1820–1906) — американская суфражистка.
2   *Момс Мейбли* (1894–1975) — американский стендап-комик, чернокожая лесбиянка.
3   *Джаспер Джонс* (р. 1930) — американский художник.

А еще к нему может прийти любовь — и никуда потом не деться. Это вполне может быть. Ведь нет в природе внятных законов, диктующих любви непостоянство (как нет, впрочем, и внятных законов, которые объясняли бы поведение нейтронов). Главное — набраться терпения. Разве главное не это? Терпение и решимость надеяться несмотря ни на что. Решимость, которую основательно подкосил тот прощальный текст.

Желаю тебе счастья и удачи в будущем. ххх.

Это написал человек, с которым, как вообразил Баррет, как он позволил себе вообразить, у них возникал подлинный душевный контакт, раз или два точно (когда Баррет, дождливым днем сидя с ним в ванне, прочел стихотворение О'Хары ему на ухо, окаймленное очаровательным белокурым завитком; и ночью в Адирондакских горах, когда им в окно стучались ветви дерева и тот человек сказал, как будто поделился тайной: "Это акация").

Но ты живешь дальше, ведь так? Видишь невероятный свет, который потом гаснет. Веришь, что считал ту вторничную ванну в Вест-Виллидж целью и конечным пунктом, а не одной из многих остановок в пути.

Твоя работа, Баррет Микс, заключается в том, чтобы наблюдать, копить наблюдения и их сохранять. И в конце концов, сделал же ты открытие: даже если умственные способности у тебя выше средних, тебе не обязательно производить фурор и делать выдающуюся карьеру. Ни в каком контракте этот пункт не прописан. Богу (кем бы Она ни была) совсем не нужно, чтобы ты явился под конец на небеса непременно с полновесным грузом жизненных успехов.

Баррет сидит, обнимая тонкую талию Бет. Пинг вещает:

— А вот лучшая фраза в романе, ее произносит наиболее толковая из двух героинь, Фрида: "Я разлетаюсь на куски, о чем мечтала уже многие годы". Грандиозно сказано, да?

— Я сделаю себе такое тату на груди, — говорит Фостер.

— Помышления плотские суть смерть, а помышления духовные — жизнь и мир, — говорит Баррет.

Повисла тишина. Пинг смотрит на Баррета так, будто тот внезапно сострил и ждет от Пинга продолжения шутки.

— Уверен, что так оно и есть, — говорит Пинг подчеркнуто любезно, словно помогая Баррету выйти из неловкого положения.

Бет нежно гладит его по спине. Она замужем за Барретом так же, как за Тайлером, — об этом говорят такие жесты.

— Извини, — говорит Баррет. — Давай дальше.

Но Пингу перебили запал, обломали драйв. Он улыбается приторно, как улыбались, должно быть, записные льстецы при дворе французских королей.

— Ангел мой, не подскажешь, откуда ты взял эту мысль? — спрашивает он.

Баррет обводит взглядом гостиную — страшно жалея, что не может стать жидким и утечь сквозь зазоры между досками пола, как пролитая судомойкой лужица, — и замечает Эндрю; тот стоит с бутылкой пива и горстью арахиса позади и сбоку от дивана, не попадая в поле зрения Пинга.

Эндрю спокоен и уверен в себе, ему — и в этом он сродни некоторым божествам — абсолютно нет дела до человеческих дрязг, он в буквальном смысле их не понимает. О чем вообще людям спорить между собой, когда плодов, воды и неба с избытком хватает для всех?

Может, поэтому он так непривычно надолго задержался у Лиз?

— Из Послания к Римлянам, — отвечает Баррет.

— То есть из Библии?

— Ага. Из Библии.

— Ты чудо, — говорит Пинг.

Он примадонна, но не той породы, что разит нетерпимостью, а примадонна в духе гранд-дамы, умеющей и выказать недовольство (нельзя, чтобы кто-то вообразил, будто его легко поставить в тупик, будто чары его на потребу публике), но при этом пусть сдержанно, но радушной. Педантом его тоже не назовешь. Он в чистом виде фанатик, одержимый неистовой, преданной страстью к тому, что считает своим открытием. До Джейн Боулз его объектом был Генри Дарджер[1], а перед Дарджером — Барбара Хаттон[2] с ее насыщенной биографией. Когда Пинг во власти очередного увлечения, он искренне неспособен понять, как кого-то может интересовать что-то другое.

— Есть версия, что Джейн Боулз отравила ее марокканская возлюбленная, — говорит Баррет.

— Я знаю, — с торопливым напором парирует Пинг. — Разве не фантастика? Та женщина, кстати говоря, была старой страхолюдиной, ходила вечно в парандже и темных очках. Есть фотографии: Джейн, изящная светлокожая аристократка, снята на марокканских улицах с женщиной, как две капли похожей на ведьму из "Макбета".

Лицо Фостера — оно по-прежнему приковывает взгляды благодаря эффектному сочетанию вы-

---

1   *Генри Дарджер* (1892–1973) — американский писатель и художник-иллюстратор, жил безвестным затворником, прославился посмертно.
2   *Барбара Хаттон* (1912–1979) — богатая наследница, филантроп, известный персонаж американской светской жизни.

сеченной из известняка ирландской челюсти с размашистым изгибом нижней губы и немыслимым аристократическим носом английского школьника — вытягивается, можно было бы подумать, что от восхищения, но Баррету почему-то кажется, что Фостер просто не очень понимает, о чем речь.

— С ума сойти, — говорит Фостер.

— Джейн и сошла, — отзывается Пинг с видом довольной жизнью кошки.

Он уверен, что все без исключения художники не в своем уме или на худой конец большие оригиналы. Интересно, думает Баррет, связано ли это убеждение с тем, что по выходным Пинг рисует сентиментальные пейзажики и натюрморты? Объясняет ли оно его шляпы, его идею коллекционировать викторианские рисунки с птицами, арабские светильники и книжные первоиздания?

— Наверно, надо бы ее книгу прочитать, — говорит Фостер и интонация, с какой это сказано, полностью выдает его истинные намерения, свидетельствует, что прочитать книгу — это в его случае захватывающий и невыполнимый проект, что с таким же успехом он мог сказать: *наверно, надо бы выучить физику элементарных частиц.*

— Ты не думай, там не все сплошь мрак и тоска, — говорит ему Пинг. — Местами неожиданно веселое чтение. И вообще, между жизнью великого художника и его книгами часто нет ничего общего.

К Пингу возвращается ораторский запал.

— Надо помнить, что жизнь у нее складывалась странно, — говорит он. — Она была экспатом. Замуж вышла за крутого педика Пола Боулза[1], которому на фиг была не нужна, который не слал ей ни цента, и поэтому она постоянно бедствовала. Мне кажется, она жила в таком мире, где возможным было абсолютно все.

Бет треплет Баррета за загривок — мол, держись, — встает с зеленого подлокотника и ищет взглядом Тайлера.

— До полуночи, если кто не знает, двадцать девять минут, — говорит она.

После Бет получает право удалиться и он. Баррет смотрит на Лиз, но у нее на лице застыло мертвое добродушное выражение. Она умеет, сидя в компании, сделать такое лицо, будто терпеливо дожидается заказанную машину, которая обязательно скоро придет и увезет ее куда-то, где ей будет хорошо и спокойно.

— Всего двадцать девять минут, чтобы припомнить все свои грехи, — говорит Баррет.

Баррет единственный тут может считаться соперником Пинга. Только шутка позволит ему со-

---

1   *Пол Боулз* (1910–1999) — американский композитор и писатель, большую часть жизни проведший в Марокко и на Цейлоне.

блюсти приличия, покидая ряды слушателей посреди исполняемой Пингом арии.

Пинг хватается за грудь, старательно изображая ужас.

— Дорогуша, — говорит он, — тебе не минут, тебе двадцать девять дней на это понадобится.

Баррет поднимается из кресла. Пинг снова обращает весь свой пыл на Фостера:

— Ну и сам подумай — если ты гений и психопат, как не разлететься на куски, когда живешь в стране, где по улицам шныряют обезьяны, а торговцы продают фрукты, которых ты раньше и не видел никогда?

Фостер исподтишка (Пинг не любит, когда слушатели глазеют по сторонам) смотрит, как Тайлер обнимает Бет за плечи и прижимает ее к груди.

Этот Тайлер... Он так красив, по-львиному напорист. И умеет быть преданным. А это очень эротично. Ну почему среди геев мало кто это умеет? Почему они такие неугомонные, почему все время хотят нового, нового, нового?

Мимолетно ему представляется: Тайлер снимает с Фостера одежду, нежно, пылко, любуется обнажившейся грудью, рельефом брюшного пресса; Тайлер рассматривает идущую вниз от пупка полоску волос так, будто Фостер вырастил ее специально для него; Тайлер хочет Фостера, но только его, Фостер исключение, мужчины его не заводят, его заводит Фостер, и поэтому он спускает с него джинсы, по-родительски заботливо и в то же время эротично, готовый овладеть Фостером с беспощадной добротой отца, фантастически извращенного, не знающего никаких табу отца, который делает своему мальчику только хорошее, заботится о нем, обожает, в силу кровной связи лучше любого другого понимая, что ему нужно.

Но Пинг уже снова продолжает:

— Правильнее, конечно, было бы ярко уйти. За то, что они так ушли, мы и любим Мэрилин Монро и Джеймса Дина[1]. Мы любим тех, кто несется прямиком в пламя. Я про то, что Джейн Боулз — это не Мэрилин и не Джеймс Дин, так, во всяком случае, считает большинство, но я…

Фостер снова внимательно его слушает. Пинг хороший учитель, а Фостеру столько еще надо узнать.

Встав с кресла, Баррет не может решить, куда направиться. Бет беседует с Тайлером и Ниной, а Баррет не чувствует ни сил, ни желания присоединяться к их разговору. Эндрю сидит бочком на подоконнике и смотрит в ночь (или на свое отражение в окне),

---

[1] *Джеймс Дин* (1931–1955) — американский актер, насмерть разбился на машине, после чего был дважды номинирован на "Оскар".

заливая в себя очередную бутылку пива (ест и пьет он как дышит, послушно употребляя все ему предложенное, как животное, чье физическое благополучие основано на поглощении максимума питательных веществ и расходовании при этом минимума энергии). Несмотря на благоговение Баррета перед Эндрю — или по причине его благоговения, — отношения между ними установились дружественные, но не близкие. Невозможно представить, чтобы Баррет сейчас запросто подошел к нему и заговорил... например, о надеждах, которые он возлагает на наступающий год. Ну или о чем-нибудь еще.

Баррету приходит в голову, что хорошо бы на несколько минут прилечь у себя в комнате. Ему вдруг показалось, что нет ничего лучше, чем тихо лежать в одиночестве на своем матрасе и слушать, как за стенкой тихо, похоже на радио, звучит праздник.

Электричества он не зажигает и остается в темноте — темноте весьма относительной, поскольку при незанавешенном окне Никербокер-авеню всю ночь напролет заливает комнату оранжевым светом. Баррет усаживается на матрас — осторожно, будто у него болят суставы.

Пульсирующий на белых стенах оранжевый свет с улицы делает его комнату похожей на жилище героя фильма нуар. Не то чтобы ему было так уж неуютно.

Но он чувствует себя в ней — и с течением времени чувство это становится только острее — как иммигрант в чужой стране. В этой стране, где ему ни тепло ни холодно, он осел только потому, что ни в какие более приветливые края с имеющимися бумагами его не пускали, а оставаться на родине он больше не мог. Навыки его — проворно освежевать антилопу, перетереть в муку мешок желудей — в этой стране никому не нужны.

В прежние годы ему бывало непросто из-за того, что слишком многое его интересовало. В первую очередь интересовали, конечно, книги; ему было интересно учить языки, проникать в их коды, понимать их закономерности и то, как эти закономерности менялись во времени; интересна была история, возможность соскрести наслоения времени и обнажить в живой непосредственности некий день на рынке в Месопотамии, где некая женщина раздумывает, покупать ли манго; или ту ночь на подступах к Москве, когда черный воздух так студен, что трудно дышать, тут же под промерзшими небесами Наполеон и московская тьма, усыпанная ледяными звездами, которые никогда не сияли так ярко, так недостижимо далеко...

Параллельно с этим существовал мир забот попроще: усталость под конец рабочего дня независимо от того, переворачивал он в этот день бургеры во фритюрнице или крыл крышу; влюбленности в официантов и поваров, плотников и электриков — ни к кому так не прикипаешь душой, как к тем, с кем работаешь (возможно, эта привязанность повторяет в миниатюре ту, что испытывают друг к другу воевавшие вместе мужчины); шумная дразнящая суматоха пятничных пивных посиделок, *у Вилли была абсолютно чумовая девица, а Эстер пора бы вернуться домой к детям, а Малыш Эд почти накопил денег на подержанный "дукатти"*…

В том, что касается работы, Баррет долго вел себя как дебютантка, которая никак не могла сделать выбор, которой каждый следующий претендент на ее руку нравился больше или меньше, но никогда настолько, чтобы согласиться видеть его каждый божий день всю оставшуюся жизнь, — и поэтому приходилось ждать. Она не была чрезмерно высокого о себе мнения, не считала, будто слишком хороша для простого смертного; нет, ей просто всякий раз казалось, что набор ее склонностей и причуд плохо сочетается с личными качествами очередного потенциального мужа. Ведь нечестно же выходить за человека, если не уверена, что вы полностью подходите друг другу. Вот она и дожидалась кандидата, в отношении которого сомнений не будет. Она еще была молода, достаточно молода, а потом — совершенно внезапно и непонятно каким образом — молодость миновала, и вот она живет дома с родителями, проводя дни за чтением и шитьем...

Это правильно, на некий странный и с привкусом горечи манер, что Баррет выбрал наконец себе род занятий — и тем более правильно, что занятие это не преследует суетных целей и не чревато возможностью разбогатеть.

На потолке прямо у Баррета над головой растет У-образная трещина, откуда время от времени сыплется пылью штукатурка, выбивается короткий искусственный снежный шквал — это означает, конечно же, что надо идти скандалить с домовладельцем, а еще означает, что дом разваливается (о том же говорит и превращение перекрытий в труху от неистребимой сырости), что он теряет веру в себя, из последних сил сохраняет целостность потолков и несущих стен и в один прекрасный день издаст скрипучий вздох и превратится в груду строительного мусора.

Но как бы там ни было, Бет вылечилась, ее распад был остановлен, и Баррет даже позволил себе вообразить, будто небесный свет, явившийся ему полтора года назад, каким-то образом, возможно, причастен к исцелению.

Ему трудно выносить необычность этого явления, его грандиозность. Он с удовольствием лежит в тишине своей комнаты, куда снаружи, из мира, прекрасно обходящегося без него, долетают звуки улицы и праздничного веселья. Лежа на кровати, он плывет, как Офелия, блаженная утопленница (такой, во всяком случае, он ее себе рисует): она рассталась с жизнью, но и навечно укрылась от упреков и предательств, в смерти прекраснее, чем в жизни, обратив к небу безмятежно-бледное лицо и раскрытые ладони белых рук, в обрамлении цветов, за которыми слишком низко склонилась над ручьем, она скользит по воле течения, некогда смятенная, а теперь покойно вернувшаяся в лоно природы, в единении с землей, доступном только мертвым.

— Эй.

Баррет приподнимает голову, оглядывается на дверь.

Это Эндрю. Нет, такого не может быть. С какой бы стати Эндрю явился и встал на пороге его комнаты?

И все-таки это он. Это его силуэт, его узкая талия и широкие плечи, его стриженая, похожая против света на шлем голова, небрежное изящество позы, будто он замер в танце, фигуры которого большинство населения планеты выучить неспособно.

— Да? — откликается Баррет.

— Поделишься? — спрашивает Эндрю.

Поделишься — чем? Ах да, конечно…

— Извини. У меня пусто.

Эндрю облокачивается о косяк, стремительный и властный в движениях, как Джин Келли[1]. О котором Эндрю, разумеется, даже не слышал.

Очень характерно — это высокомерное пиратское нелюбопытство, изумительная юношеская уверенность Эндрю, что если он чего-то не знает, то, значит, оно того и не стоит.

— А я думал, ты слинял, чтобы заправиться, — говорит Эндрю.

Баррет ошеломлен — Эндрю заметил его исчезновение. Но нет, сейчас нельзя умолкать. Надо продолжать разговор.

— Знаешь, вообще-то можно поискать, — говорит он. — Пойдем.

Баррет встает и делает несколько шагов в направлении Эндрю. Он не владеет танцевальным шагом и просто старается ставить ноги по одной линии. Ему хочется верить, что не выглядит неуклюжим.

Баррет вступает в область запаха Эндрю. Вздумай кто торговать этим ароматом, на этике флакона могло значиться единственное слово: "Парень" — и никакое кроме; в нем неожиданно нет ни намека на потный кисель (пот Эндрю вообще ничуть не зловонен, его

---

1   *Джин Келли* (1912–1996) — американский актер, танцор и хореограф.

запах не с чем сравнить, самое большее его можно назвать чистым, чувственным и чуть-чуть по-морскому соленым). К нему, разумеется, не примешивается ни туалетная вода, ни дезодорант, только слышится легчайшая цитрусовая нотка, оставленная мылом, лосьоном или, возможно, гигиенической помадой.

Баррет уговаривает себя успокоиться, и в какой-то момент его охватывает иррациональный страх, ужас от того, что, подходя к Эндрю, он ни с того ни с сего произнес вслух: *успокойся*.

Неужели это общее свойство всех одурманенных страстью — думать, что другому слышны твои мысли? Наверно, так. Разве может оставаться неслышной вся эта сумятица надежд, страхов и вожделения? Ни одна черепная коробка не спрячет ее в себе.

— Я не хотел мешать, — говорит Эндрю.

— Ничего, — отзывается Баррет. — Я так просто… Передохнуть решил. Перед полуночью.

Эндрю кивает. Ему непонятно, зачем перед полуночью отдыхать, но он вполне себе признает право окружающих на маленькие причуды. Это одна из черт, из которых складывается его очарование, — он, как мужское воплощение Алисы, с невозмутимостью школьницы путешествует по Стране чудес, где все незнакомо и все вызывает любопытство, но не внушает ни испуга, ни отвращения.

— Пошли, — говорит Баррет.

Он отводит Эндрю в комнату Тайлера и Бет.

Там темно и пусто. Без возлежащей как в гробу Бет комната из забытой сокровищницы — полной приношений спящей принцессе — превратилась в захламленную нору. Вещи увеличились в количестве, но по сути остались теми же. Стало больше сложенных в зыбкие стопки книг. Так и не дождавшаяся починки лампа в виде гавайской танцовщицы нашла себе сестру с ножкой, изображающей маяк, и абажуром, украшенном парусными корабликами. Две отощавшие герцогини, два хлипких парных стула, обзавелись слугой — смущенным на вид, убогим бамбуковым столиком.

После того как Бет поправилась и вернулась в большой мир, вместе с ней из комнаты ушло и томное эдвардианское очарование. С тех пор это просто спальня, под завязку забитая книгами и старьем, логово барахольщиков, симпатичное, но по-своему с налетом идиотизма. Освобожденные от заклятия близящейся смерти Бет, бессловесные обитатели комнаты, все эти стулья, лампы и сложенные пирамидой кожаные чемоданы, пережив краткий отрезок преображенного бытия, снова сделались обиходными предметами и теперь в вещном мире терпеливо дожидаются конца света.

За нагромождением хлама белеет кровать, чуть не светящаяся чистотой. Кровать — это Спящая красавица, а рухлядь вокруг — колючая чаща, выросшая, дабы беречь ее сон.

Баррет пробирается среди скопленных в комнате богатств. Свалка свалкой, но здесь совсем нет характерных для лавки старьевщика запахов пыли и старого лака, смешанных со скорбным и нечистым ароматом, пристающим ко всему, что слишком долго никому не нужно. Бет жжет по всем комнатам ароматические свечи с лавандой — подобно тому как стареющая женщина использует духи, чтобы заглушить дух распада.

Баррет выдвигает ящик прикроватной тумбочки. В нем полно Тайлерова добра: смазка и презервативы, куда без них (*XL*, надо же); тюбик какой-то японской мази; небольшой блокнот "Родья" и маркер "Шарпи"; старый снимок матери (Баррету до сих пор бывает странно от напоминаний о ее полноте, густых бровях, близко посаженных недоверчивых глазах женщины, которую никогда не обвесит деревенский мясник; о том, что она была женщиной статной, видной, как все говорили, но отнюдь не красавицей, какой ее помнил он); несколько капсул контака; россыпь медиаторов; и…

Из-под медиатора высовывается пузырек. Явно ему не отведено почетного места, так, валяется среди прочего содержимого тумбочки.

167

Баррет рассчитывал найти заначенный Тайлером кокаин. И в то же время надеялся, что не найдет.

Ну конечно, Тайлер не завязал. Баррет мог бы и догадаться. Или нет? Слишком давно у него вошло в привычку доверять Тайлеру.

Странное явление: похоже (хотя этого и не может быть, правда же?), что секретам свойственна парность. Раз Баррет не рассказывает Тайлеру про небесный свет, то и Тайлер естественным образом что-то скрывает от Баррета. Равновесие превыше всего.

Мысль дикая. Но, видится Баррету, вполне допустимая.

Еще одно странное явление: Баррет разрывается между обидой на предательство (он быстро подсчитывает в уме, сколько раз Тайлер *говорил*, что перестал принимать наркотики? — для Баррета существует огромная разница между ложью и несказанной правдой), обеспокоенностью (кокаин Тайлеру вреден, как вреден он вообще любому, но Тайлер особенно податлив, для него слишком убедителен его собственный образ, рожденный под воздействием кокаина) и чувством облегчения (за которое ему стыдно) от того, что наконец у него есть чем порадовать Эндрю, что теперь он для Эндрю не просто ничем не примечательный мужчина, до его появления лежавший в одиночестве на кровати.

Баррет достает из ящика пузырек — крошечный цилиндр из прозрачного пластика с черной пластмассовой крышкой. Показывает его Эндрю. Тот кивает с видом знатока, будто соглашаясь с широко известной мудростью, которая не теряет в цене оттого, что ее повторяют на протяжении столетий. Баррет отдает ему пузырек.

Баррет пробовал кокаин два раза, на тусовках, много лет назад, и тяги к нему никогда не испытывал. Оба раза он не почувствовал практически ничего, кроме головной боли и повышенной тревожности, которой ему и без того хватало.

Эндрю отвинчивает крышку. Достает из кармана связку ключей (и зачем ему столько, явно больше десятка), опускает один ключ в пузырек, после чего протягивает его Баррету. На кончике ключа — аккуратный холмик белого порошка.

Нет. Баррет хотел сделать новогодний подарок Эндрю. Сам он нюхать не собирался.

С другой стороны, как он себе это представлял? На каком поезде, из какой глуши он явился деревенским простаком в этот сияющий огнями город? Эндрю, понятное дело, решил, что они сейчас вместе занюхают. Как это принято у людей.

Баррет в растерянности. Проще и естественнее было бы сказать: *нет, спасибо*. Но отказаться не хватает воли. Он не может позволить себе обмануть ожидания Эндрю.

Баррет наклоняет голову, и Эндрю подносит ключ вплотную к его правой ноздре. Баррет втягивает воздух.

— Сильнее, — говорит Эндрю.

Баррет вдыхает глубже. Кокаин обжигает и подмораживает, он похож на лекарство.

— Теперь другой, — говорит Эндрю.

Он окунает ключ в пузырек и бережно подносит к левой ноздре Баррета. Баррет вдыхает, на это раз сразу глубоко.

Эндрю один за другим снюхивает два кокаиновых холмика и говорит:

— Красота.

Он садится на край Тайлеровой с Бет кровати, как пловец, выбравшийся на плот. Баррет садится рядом, стараясь не коснуться коленом колена Эндрю.

— Этого-то мне и не хватало.

— Мне тоже, — говорит Баррет.

Неужели глупая страсть заставит его лгать и притворяться?

— Внимание, внимание, приближается 2006 год, — говорит Эндрю.

Мгновение спустя Баррет понимает, что кокаин начал действовать. В голове зажужжало, но непохоже на пчел или на других живых существ; жужжание издает флотилия стальных щетинистых шариков, они кружат в мозгу, наголо вычищая мысли и оставляя за собой пульсирующую чистоту. Напоминает медицинскую процедуру: *потерпите, это неприятно, но зато потом вам станет гораздо лучше.*

Может, на этот раз Баррету действительно станет лучше.

— Еще разок, а? Новый год как-никак, — говорит Эндрю.

Он отсыпает из пузырька новую порцию порошка. Баррет боится, как бы не промахнуться, как бы не сыпануть кокаин на подбородок, но движения Эндрю точны, как у хирурга, он подносит кончик ключа сначала к правой, потом к левой ноздре. После Баррета он нюхает сам.

— Красота, — говорит Эндрю.

— Очень здорово, — соглашается Баррет, хотя ему уже ясно, что все далеко не здорово. Стальные щетки не унимаются. Ему кажется, он физически чувствует, как вычищена и опустошена внутренняя поверхность его черепной коробки, как белеет пустота там, где раньше у него был мозг.

— А мощно этот две тысячи шестой начинается, да? — слышит он будто со стороны собственные слова.

Говорит не он, а только его голос. Сам Баррет обретается в склепе своего черепа, в древней полости, где грохочет металлическими зубьями какая-то непонятная машина.

— Ты про Бет? — спрашивает Эндрю.

— Нет. Про Майкла Джексона, как он отбился от липовых обвинений в растлении малолетних.

Эндрю озадаченно смотрит на Баррета. Ему непонятно. Он вообще не понимает сарказма. Баррет с изумлением ловит себя на том, что его это не напрягает. Он сейчас слишком на взводе, чтобы напрягаться по таким пустякам. Да, Эндрю, я такой. Я ироничен, я остряк. Мне не так повезло с внешностью, как тебе, но я тоже не пустое место в этом мире.

Стальные щетки, видно, потрудились на славу, вытравили из него способность постоять за себя, отбили желание быть желанным. Единственное, что у него осталось, — это голос, как сбрендивший оракул, вещающий из катакомб, в которых когда-то обитал его разум.

— Я пошутил, — говорит Баррет. — Конечно, про Бет.

— Понимаю. Организм — он от всякой дряни избавиться может.

— Может.

— А врачи, знаешь, ни хрена не соображают.

— Кое-что соображают. Но иногда ошибаются. Как и все мы.

Баррет слушает, ему удивительно слышать от себя законченные предложения. Их составляет механизм, очистительная машинка, позабытая у него в черепе и выполняющая программу, заложенную в нее прародителями.

— Я лично, если бы заболел, — говорит Эндрю, — пошел бы к шаману.

И тут все меняется.

Баррет удивлен происходящим, но не в силах ему противиться. Запускается физический процесс на уровне состава крови. Влечение к Эндрю понемногу улетучивается.

Перемену запустило, должно быть, слово "шаман". То, что Эндрю сказал это с таким напором, хотя Бет поправилась, ни разу даже не подумав обратиться к шаманам, медиумам или налагателям рук; что уникальный визионерский опыт был ниспослан Баррету, несмотря на весь его скептицизм; что Эндрю выговорил это слово со своим нью-джерсийским акцентом, скорее всего, плохо представляя его значение.

Ни разу до того Баррет не пытался вообразить, какое будущее ожидает Эндрю. В его будущем Баррету явно не отводилось места, поэтому интереснее, сексуальнее было думать об Эндрю исключительно в настоящем времени.

Но теперь все иначе. Теперь Баррет явственно представляет лишь одно — будущее Эндрю. Вот он, стареющий ревнитель маловероятного, живет на гроши, которые платят ему за примитивную работу, мало-помалу превращаясь из старательного подмастерья волшебника в одного из тех, кто считает себя вполне себе волшебником, черпает "факты" из помоечных источников, досконально информирован о правительственном заговоре с целью скрыть от граждан скорую высадку инопланетян в штате Нью-Мексико, но неспособен при этом назвать по имени сенаторов от своего штата...

Эндрю — это иллюзия.

Баррет знал это с самого начала, с тех самых пор, как впервые его увидел (Лиз тогда взяла с собой Эндрю в кино — кажется, на третий эпизод "Звездных войн"), и у него засосало под ложечкой от первого же взгляда на откровенную, равнодушную красоту, которую Эндрю нес беспечно, как если бы воплощал собой некий забытый американский идеал. На протяжении многих поколений его предки отважно пускались на покорение неведомых земель, шли через горы и леса, пока другие — осмотрительные, ни в чем до конца не уверенные, благодарные за то малое, что у них есть, — обделывали свои разнообразные дела на покрытых копотью мостовых Восточного побережья, стараясь не ступить в лужу и не вляпаться в конский навоз.

Эндрю — идеал, редкое произведение, золотой кубок. Каждый год люди тратят миллиарды, лишь бы в большем или меньшем приближении походить на Эндрю, сына сапожника из Нью-Джерси, которому все досталось даром.

Баррет чувствует, что к Эндрю его тянет все меньше и меньше. Раньше простодушие Эндрю казалось ему совершенным чувственным дополнением к небрежно-совершенному телу. Теперь же он видит в нем недалекого парня, которому даже время, успев основательно поработать над его телом, вряд ли прибавит ума.

— Вот будь у тебя одновременно рак печени и прямой кишки, хрен бы тебе шаман помог, — говорит Баррет.

Эндрю подается вперед и жадно смотрит на Баррета.

— Ты не веришь в шаманов, — говорит он, словно вызывая на спор (флирта ради?).

Возможно ли, что Эндрю внезапно почувствовал интерес к этому новому Баррету, которому он сам больше не интересен?

Да, так оно и есть. Любой другой ответ прозвучал бы странно.

— Да нет, я, наверно, почти что во все верю. Но так, чтобы всему свое место и свое время. Магия — штука могущественная, ее силу недооценивают. Но магия не может извлечь из тела раковую опухоль.

— А тебе не кажется, что Бет именно так и поправилась?

Что на это ответить?

Баррет закрывает глаза, чтобы дать мозгу накопить заряд, придать большую ясность и силу мыслям.

— Однажды я видел свет в небе, — говорит он, выдержав паузу.

Он никому еще об этом не рассказывал. С какой стати теперь рассказывать Эндрю?

Хотя кому еще? Разве кто-то, кроме него, поверит Баррету и сумеет обойтись без дурацких шуток?

А этот новый, разоблаченный Эндрю, сидящий тут с ним, глупый и скучный, как и все те бессчетные красивые юноши, что на протяжении веков...

— Я то и дело вижу, — говорит Эндрю. — Метеоры там, планеты, падающие звезды. Пару раз что-то типа летающей тарелки видел.

— Я видел большое зеленоватое сияние. Формой вроде спирали. Над Центральным парком, больше года назад.

— Круто.

— Ну да, круто. И очень необычно.

— Ага, там, наверху, куча странной фигни. Ты думаешь, люди знают, что там творится? Все там наверху изучили?

— Этот свет… он казался живым. В некотором роде.

— Звезды — они живые.

— Это была не звезда.

— Красивый был свет?

— Да, красивый. И немножко страшный.

— Чего так?

— Слишком могущественный. Огромный. А потом он погас.

— Сильная история.

Баррету надо было остановиться. Больше ничего не говорить.

— Я стал ходить в церковь.

— Правда? — Судя по тону, Эндрю признание Баррета не показалось ни особо странным, ни совсем уж рядовым. Обычаи Страны чудес непривычны для чужака, однако и не отталкивающи. Чтобы избежать конфликта, Алисе достаточно быть вежливой и выказывать благонравие.

— Я не молюсь, — говорит Баррет. — И на колени не встаю. Вместе со всеми не пою. Просто захожу раз-другой в неделю и тихо сажусь сзади на скамье.

— В церквях красиво. Я не про организации религиозные, там отстой, а в церкви чувствуется что-то святое.

— Куда я хожу, там совсем как-то просто. Кроме меня только человек десять старушек, они впереди сидят.

— Ага.

— Со мной там никто не разговаривает. Я думал сначала, что после службы ко мне подойдет кто-нибудь из священников и скажет что-то вроде: "Что привело тебя к нам, сын мой?" Но они все старые, очень старые, делают все на автомате и, не знаю, думают, наверно, только о том, как бы мальчишкам-алтарникам под стихарь залезть, когда остальные все разойдутся.

Похотливо усмехнувшись, Эндрю говорит:

— Чего же ты туда ходишь?

— Там такой покой. Особая атмосфера, даже в этой старой захудалой церкви. Сижу там и жду, вдруг что-нибудь такое... ну, снизойдет.

— Снизошло или как?

— Пока нет.

— Вот где они.

Баррет открывает глаза. На пороге стоит Лиз — точно так же, как за двадцать минут до того на пороге его комнаты стоял Эндрю. Неужели под конец жизни Баррет будет вспоминать всех, кто являлся к нему на порог, потревожив в очередном убежище?

— Привет, — говорит Эндрю.

— Уже без одиннадцати, — говорит она и входит в комнату. — Ну и помойка же.

— Тайлер с Бет коллекционеры, — говорит Баррет.

— Тайлер с Бет рассудком двинулись.

Она подходит к кровати и садится рядом с Эндрю, тот сторонится, давая ей место. В результате он придвигается почти вплотную к Баррету, касается его плечом и бедром.

Это сексуально, а как же. Но теперь, по мере того как пиетет в отношении его сходит у Баррета на нет, Эндрю из божества превращается в персонажа порно. Баррету это приносит облегчение, смешанное с грустью. Корабль уплывает. Взгляд Баррета натыкается на абажур с нарисованными парусниками, краска на нем местами облупилась и отваливается.

— Будешь?

— Чей это, интересно, кокс? — спрашивает Лиз.

— Не знаю.

— Тайлера, — говорит Баррет.

— А мне казалось, Тайлер завязал.

— Выходит, ты ошибалась.

— Неважно. Тайлер вам разве сказал, мол, ступайте в мою комнату и там угощайтесь из моих личных запасов?

— Эй, Лиззи, — говорит Эндрю. — Мы гуляем, Новый год, как-никак...

— Верните на место.

— В этой квартире все общее, все принадлежит нам троим, Тайлеру, Бет и мне, — говорит Баррет.

— Все, кроме наркотиков. Ни в коем случае нельзя брать чужие наркотики, если только тебя не угощают. А теперь живо положили кокс туда, откуда взяли.

Эндрю передает пузырек Баррету, тот открывает ящик тумбочки и сует туда пузырек.

— Тебе-то зачем эта дрянь? — спрашивает Лиз Баррета.

— Праздник все-таки. Новый год.

— Баррет тут мне рассказывал про то, как он видел свет. В небе над Центральным парком.

Эндрю и в голову не приходит, что у людей бывают секреты. И что иногда стоит поменьше болтать.

— Свет? — спрашивает Лиз.

Внимательнее. Лиз задала вопрос. Она вообще не очень расположена ко всему таинственному и необъяснимому.

— Не слушай меня, сейчас не стоит, — говорит он. — Я сам не понимаю, что несу.

— Это был такой большой шар. Красивый и могущественный, — говорит Эндрю.

— Баррет рассказывал тебе, что видел свет в небе?

— А еще я видел снежного человека, — говорит Баррет. — Самого настоящего, на Третьей авеню. Он как раз заходил в "Тако Белл".

Лиз плотно сжимает губы, закатывает глаза к потолку, потом смотрит на Баррета.

— Как он выглядел? — спрашивает она.

Баррет делает глубокий вдох, будто собирается сунуть голову под воду.

— Он был такой… бледно-аквамариновый.

Лиз по-прежнему смотрит на Баррета. В ее лице появляется пытливо-недоверчивое выражение, как будто она детектив и подозревает, что Баррет говорит неправду о том, где он находился в ночь преступления.

— Я тоже однажды видела свет, — говорит она. — Высоко в небе.

— Да брось.

— Это было много лет назад.

— Где? Ну то есть понятно, что в небе…

— Я с крыши своего дома его видела. Дело было летом, я жила тогда в нижнем Ист-Сайде и работала у Джошуа в магазине. Я уже собиралась спать, но перед сном поднялась на крышу выкурить косячок. Если не ошибаюсь, забила я его гашишем с опиумом.

— Какой он был? — спрашивает Баррет.

— Какой? Я бы сказала, круглый. Или шарообразный.

— А цветом бледно-аквамариновый?

Лиз усмехается, почему-то мрачновато.

— Ближе к бирюзовому.

— Поподробней можешь рассказать?

Теперь она смотрит на него терпеливым взглядом женщины, утомленной чрезмерным мужским вниманием и за иронией скрывающей накопившееся раздражение.

— Летел такой забавный светящийся шар, — говорит она. — Было в нем что-то такое трогательное.

— *Трогательное?*

— Ну да. Вроде как в космическом спутнике из пятидесятых. Как будто этот шарик света залетел из каких-то других времен, тех, когда он считался новейшим чудом.

— Это непохоже на свет, который видел я.

— В таком случае мы видели разные вещи.

— А ты что-нибудь чувствовала? Ну то есть о чем ты думала, когда на свой шар смотрела?

— Я думала: хороший гашик, не забыть бы, у кого брала.

— И больше ни о чем?

— Этого тебе мало?

— А дальше что?

— Я добила косяк, спустилась к себе, почитала недолго и легла спать. Утром встала и пошла на работу. Ты же помнишь, как Джошуа умел развоняться.

— Тебе, что ли, не хотелось понять, что это было? Что за свет?

— Я решила, что это газ какой-нибудь. Ведь во вселенной же полно газообразных тел?

— Ага, она состоит из газов, нейтрино и непонятной дряни, которую называют темной материей, — говорит Эндрю.

— То есть дальше ты спокойно занялась обычными делами? — спрашивает Баррет.

— По-твоему, надо было звонить в "Нэшнл инкуайрер"? Меня торкнуло от косяка, я увидела свет, потом он исчез. Что тут такого-то?

Баррет склоняется ближе к ней, лицо Эндрю теперь совсем рядом, он чувствует щекой его дыхание.

— И ничего особенного с тобой потом не происходило?

— Я же сказала, что нет, ничего.

— Может, не сразу?

— С тех пор много лет прошло, и куча всего успела произойти.

— Подумай, может, вспомнишь?

— Ты начинаешь меня пугать.

— Ну пожалуйста. Постарайся. Сделай мне приятное.

— Ладно. Например, я нашла в "Ти-Джей Макс" пару туфель от Джимми Чу. Это же настоящее чудо, нет?

— Еще.

— Дорогой мой, ты, по-моему, с коксом перестарался.

— Слегка да.

— Ты же не употребляешь.

— Так Новый год.

— Тогда ладно, — говорит она, — расскажу, как лет десять или даже больше назад… — Она умолкает.

— Что лет десять назад?

— Дурацкая история.

— Так в чем было дело?

— Именно в тот год, если ничего не путаю, вернулась моя сестра.

Она редко упоминала о своей младшей сестре — несмотря на долгое знакомство с Лиз, Баррет почти ничего о ней не знал.

— Дальше, — говорит он.

— Да ерунда.

— Нет, рассказывай.

Лиз молчит.

— Она тогда бросила пить таблетки, — наконец говорит Лиз. — И в один прекрасный день взяла… взяла и исчезла. Почти на год.

— По-моему, ты что-то такое рассказывала.

— Я вообще мало кому о ней говорила.

— Да, я знаю.

— Даже не понимаю почему. Наверно, потому что это семейное и я боюсь, как бы и мне не передалось. Идиотизм, правда? Это как древние греки не называли по имени бога преисподней, чтобы он их не услышал.

— Что семейное? — спрашивает Баррет.

— Шизофрения. До двадцати трех лет все с ней было в порядке. Умная, милая девочка. Все было замечательно, просто отлично. Училась на юридическом, проходила практику в Союзе защиты гражданских свобод, а туда, если вы вдруг не знаете, устроиться очень непросто. А потом она вдруг сломалась. Стала абсолютно другим человеком. Превратилась в настоящего параноика, собственной тени пугалась, несла всякую чушь про заговор корпораций, эскадроны смерти... Короче, перестала быть собой. Ей пришлось бросить университет и вернуться к родителям.

— Ее звали Сара, — говорит Эндрю.

— Да, правильно, Сара. В общем, она начала пить лекарства, и они помогли. Она не поправилась, но стала больше похожа на себя прежнюю. Но все равно не проходило ощущение, что та, настоящая Сара умерла и ее заменили манекеном.

— Вокруг полно таких манекенов, — говорит Эндрю. — Каждый день с ними сталкиваюсь.

— Ей очень не нравилось пить лекарства — а кому нравится? От них толстеешь, вечно полусонная ходишь, про секс можно забыть... И в какой-то момент, никого ни словом не предупредив, она, видимо, перестала принимать таблетки. А потом ушла. Дождалась, когда ни отца, ни мамы не было дома, и ушла.

— Ушла, — повторяет за Лиз Баррет.

— Да, пешком. Мы искали ее, но найти так и не смогли. Сначала сами бегали по всему городу, потом в полицию заявили, объявления о розыске везде расклеивали. Симпатичная двадцатитрехлетняя девушка, она была совершенно не в себе. Мало ли что могли с ней сотворить.

— Вообще девушек, это самое, насилуют, — говорит Эндрю.

— У нее были с собой какие-то деньги. Ей нравилось иметь деньги, она их просто брала у мамы из кошелька. Мы даже не знали, сколько их у нее было — вполне могло хватить на междугородний автобус. Через месяц я думала, что мама ее пропажи не переживет. В буквальном смысле, просто умрет. Сара исчезла в декабре. Даже если ее не изнасиловали и не убили, она наверняка замерзла насмерть или умерла с голоду.

Лиз умолкает, в тишине их троих обступают удлиненные острые тени.

— Я приезжала к родителям, — продолжает Лиз, — и видела, что мама может только сидеть. Молча сидеть в кресле в гостиной. Молча, как будто, не знаю… Как в приемной у врача.

— А отец что?

— Он тоже был до крайности измучен. Но оставался самим собой. Занимался домашними делами. То тут что-нибудь подчинит, то там подправит. Типа, если бы дом был в лучшем состоянии, Сара бы вернулась. Я была уверена, что, если Сара так и не объявится, отец... короче, ничего ужасного с ним не стрясется. Ему будет тяжело с этим жить, но в живых он точно останется. А вот за маму я очень опасалась.

— Боялась, что она покончит с собой?

— Нет, мне казалось, она... уйдет из жизни. Так, постепенно. Что рано или поздно она заболеет, и врачи не смогут понять, что у нее за болезнь.

— Так бывает, ага, люди болеют просто от жизни, — говорит Эндрю.

У Лиз наконец исчерпался запас терпения, она по-учительски строго посмотрела на Эндрю. *Не можешь ничего умного сказать, так лучше помолчи и послушай.*

— Ну а дальше? — говорит Баррет.

— А дальше... Месяцев через пять или около того она вдруг постучала в дверь. Выглядела ужасно. Весила фунтов девяносто, в голове вши, одежда явно на свалке подобрана. Но главное — вернулась. Явилась буквально из ниоткуда.

— Да, вернулась.

— Казалось, что этого не может быть. Нет, мы, конечно, надеялись, но попутно старались привыкнуть к мысли, что она... что ее больше нет в живых. И тут она вернулась.

— Где она все это время была?

— Неизвестно. Она говорила что-то про Миннеаполис, упоминала Саут-Бич. Но в Миннеаполис она собиралась переводиться незадолго до того, как бросила учебу. А в Саут-Бич ездила летом на каникулах. Толком она нам в итоге так ничего и не рассказала. Скорее всего, она сама не помнила, где была.

— Но главное — она теперь была дома.

Лиз задумчиво кивает головой, словно соглашаясь с приговором, суровым, но именно таким, какого и следовало ожидать.

— Да. Она была дома.

— И это — чудо.

— Я никогда не молилась, — говорит Лиз. — Я не верю в Бога.

— Знаю.

— Но еще несколько недель после ее возвращения я про себя благодарила каждого, кто дал Саре доллар, кто позволил переночевать в холле, кто как-нибудь ей помог. С тех пор я даю доллар всем, кто просит.

— Сара вернулась после того, как ты видела свет.

— Прошло месяца три, если не больше.

— И все же.

— Вот заладил! Да, хорошо, хронологически это случилось после того, как я здорово накурилась очень забористого гашиша и типа решила, что вижу какой-то там свет. Ты и вправду думаешь, что одно с другим связано?

— До конца не уверен. Но тут определенно есть о чем подумать.

— Послушай. Да, конечно, Сара теперь дома, она в безопасности, и это очень, очень хорошо. Но луч-ше-то ей не стало. Она сидит на таблетках. Она тол-стая, еле шевелится, почти не выходит из своей ком-наты. Сидит там, целыми днями играет на приставке.

— Это лучше, чем трупом лежать в Миннеаполисе.

— И все равно, тебе не кажется, что чудо вышло так себе, паршивенькое?

— Эй, до полуночи осталось три минуты, — гово-рит Эндрю.

— Я не про сами чудеса думаю. Я думаю скорее про знамения.

— Две минуты пятьдесят секунд, — говорит Эн-дрю.

— Ступай в гостиную и скажи там всем. Я сейчас приду.

— К обратному отсчету успеешь?

— Конечно. Иди давай.

Эндрю послушно встает и уходит. Лиз с Барретом остаются одни, они сидят рядышком на кровати.

— А оно важно? — спрашивает Лиз.

— Что важно?

— Знамение это твое.

— Правильнее, наверно, сказать, что оно неспроста.

— Правильнее, радость моя, было бы сказать, что ты сам себе здорово мозги засрал.

Тайлер с Бет затаились на кухне, наконец оставшись вдвоем. Они обнялись, сидя у стола.

— Почти наступил следующий год, — говорит Бет.

— Да, почти.

Тайлер прижимается носом к ямке у нее над ключицей, втягивает воздух — глубоко, как когда нюхает кокаин.

В глаз ему попала соринка. Он пытается ее сморгнуть — потереть глаз он не может, ему сейчас нельзя выпускать из объятий Бет.

— А конец света так и не наступает, — говорит она.

— Для кого-то наступает.

Она крепче обнимает Тайлера.

— Не начинай, — шепчет она. — Сегодня не надо.

Тайлер кивает. Он не начнет. Не станет заводить обычной скорбной песни о секретных тюрьмах ЦРУ в Польше и Румынии, о незаконном прослушивании телефонных разговоров или о том, что даже Буш был вынужден признать, что с начала войны в Ираке погибло тридцать тысяч мирных жителей. И вообще, Соединенные Штаты воюют со страной, которая на них не нападала.

— В Англии получили ДНК мамонта, — говорит он нежно Бет на ухо.

— Значит, теперь можно вырастить живого мамонта?

— Об этом, наверно, еще рано говорить. Но что точно — это что вырастить мамонта, не имея его ДНК, было невозможно.

— Нет, ты только представь себе, живой мамонт!

— Он же страшно огромный.

— Его же, наверно, можно будет в зоопарке держать?

— Мамонта лучше изучать в естественной среде обитания. Надо будет создать для него специальный заповедник. Где-нибудь в Норвегии, например.

— Ему там будет хорошо, — говорит она.

— А знаешь что еще?

— Что?

— Фиджи отменили законы против гомосексуалов. Теперь на Фиджи разрешается быть геем.

— Это хорошо.

— А еще...

— А-а?

— Японская принцесса Нори вышла за простолюдина и отреклась от престола.

— Он красивый?

— Да не очень. Но у него прекрасная душа, и он любит принцессу больше всего на свете.

— Это даже лучше.

— Разумеется.

Из гостиной доносится голос Пинга:

— Полночь через минуту!

— Давай здесь останемся, — говорит Бет.

— Нас найдут.

— А мы их прогоним.

— Конечно.

Внезапно Тайлер начинает рыдать. Тихо, судорожно, словно давясь слезами.

— Все хорошо, мой мальчик. Все хорошо, — утешает его Бет.

Тайлер позволяет ей себя обнять. Говорить он не может. Приступ плача застиг его врасплох. Ему страшно, разумеется, ему страшно за Бет — ремиссия, такая неожиданная, такая необъяснимая, запросто может пройти таким же непостижимым образом, каким настала. Им обоим это известно. Однажды они даже поговорили на эту тему и больше решили к ней не возвращаться.

А еще он оплакивает свадебную песню, которую спел Бет больше года назад. И почему только у него не получается забыть (не говоря уж о том, чтобы простить себе), что песня была плоха, хотя все вокруг уверяли, что это лучшее из всего им написанного? Да-да, конечно. Песня достаточно прочувствованная и искренняя, чтобы выжать у слушателей слезы, но ведь сам Тайлер понимает, что она скорее сентиментальна, а не пронзительна. Он сам виноват, что потерпел поражение. Сейчас он с содроганием вспоминает, что оставил *осколок в сердце*, выкинув упоминание, что тот ледяной; что чуть было (он старался забыть, как и почему такое могло случиться) не срифмовал *с тобою наш торжественный зарок* и *обитый красным бархатом возок*. Ему не хватило времени, не хватило таланта, и получилась баллада, подходящая к случаю, всех присутствовавших устроившая, — симпатичная вещица, а не выкованное из бронзы произведение искусства, в котором сплавились бы воедино темы любви и смерти, которое стали бы петь и после того, как воспетые им возлюбленные превратятся в прах. Получилась песня на случай. Слушатели, конечно, были в восторге, но даже тогда, когда он ее пел, а Бет стояла, вся дрожа (она была совсем слабой в те дни, кожа — того же водянисто-белого оттенка, что и шелк ее платья), сгорая от любви к нему, — даже тогда ему было понятно, что он всего лишь менестрель, что на голове у него не золотой венец и не лавровый венок, а шляпа с пером и что в песнях о любви он поднаторел потому, что исполнял их за деньги по всей стране, они звучат у него убедительно благодаря большой практике, он так привык симулировать любовь на потребу посторонним, что не способен теперь ни на что, кроме симуляции, даже когда поет о собственных чувствах. Единственным доступным ему музыкальным языком сделался язык убедительного притворства.

Песня удостоилась положенных похвал, но исполнителя-то не обмануть.

У Тайлера много причин для слез, в том числе понесенное им поражение, худшее из возможных поражений, худшее, поскольку тайное, ведь все вокруг убеждают его, будто песня о любви к Бет — это удача, победа, сокровище, которое он так долго искал.

— Все хорошо, — повторяет Бет.

Тайлер так и не избавился от той соринки, залетевшей в глаз, от этого мелкого соблазна плоти...

— Двадцать, девятнадцать, восемнадцать... — доносится из гостиной.

В гостиной царит мечтательная нервозность. Где все? На месте только Пинг, Нина и Фостер.

— Семнадцать, шестнадцать... — считает Фостер, глядя на карманные часы.

А сам тем временем пытается понять, куда запропастился Тайлер.

Пинг спрашивает про себя: *Фостер, сегодня ночью это наконец произойдет?*

Нина мысленно говорит: *прости, Стивен, сама не знаю, что у меня было в голове, сразу после полуночи я тебе позвоню.*

— Пятнадцать, четырнадцать, тринадцать...

Появляется Эндрю, он ссутулился и свесил руки, изображая обезьяну. Почему он до сих пор здесь? Как Лиз его терпит?

Красавец знойный, не поспоришь. Совершенно беспомощный, а ей нравится верховодить. А потом, ей много лет, и это ее напрягает. Трахается он наверняка гениально. И материнская привязанность, надо было ей в свое время ребенка родить. Она решила, что ли, что разницы между этими парнями никакой и нет смысла от одного к другому метаться? А он красив, чертовски красив. Тоскливо ей с ним, поди, до смерти. Она что, не понимает, как смешно рядом с ним выглядит? Устает, должно быть, от него. А может, он совсем другой, когда они вдвоем, без посторонних?

— Двенадцать, одиннадцать, десять...

— Где Лиз? — спрашивает Пинг.

— Уже идет, — отвечает Эндрю.

Фостер готов, ведь не молод уже, а я так давно в него влюблен. Ну зачем я все это на Стивена вывалила, надо научиться держать себя в руках. Тайлер, где ты? Зачем я все это вывалила, не молод уже, где ты?

— Девять, восемь, семь...

В спальне Лиз говорит Баррету:

— Мы ведь оба считаем, что это плохо, что у Тайлера в тумбочке хранятся наркотики?

— Да. Оба считаем.

— Ты с ним поговоришь?

— Ага, наверно. В смысле, придется, да?

— Кроме тебя некому.

Она поеживается, складывает руки на груди.

— Мы оба видели свет, — говорит Баррет. — И ты и я.

— Мы видели самолет. Облачко космического газа.

— Ну нет.

— А что тогда? — спрашивает она.

— Шесть, пять, четыре...

— Надо идти.

— Знаю, — говорит он.

Но никто из двоих не двигается с места.

— Три, два...
Баррет умоляюще смотрит на Лиз.
— Один.

Тайлер и Бет жадно целуются. Тайлер дыханием входит в нее и одновременно вдыхает ее в себя. Происходит обмен некой силой, Тайлер не понимает, то ли он передает ей поцелуем собственное здоровье, то ли ее чудесно возвращенным здоровьем наполняется сам. Но это и неважно. Тайлер решает, что сейчас важно другое. Она прижалась к нему, они вместе, на дворе 2006 год.

— Упс, — говорит Лиз. — Двенадцать.
— С Новым годом.
Они с Барретом торопливо целуются.
— Ты поняла, что твоим первым словом в новом году было "упс"?
— Давай и это считать знамением.

Пинг, Фостер и Нина целуются, радостные, как дети. С Новым годом! Они обнимают друг друга, с улицы доносятся крики и треск петард.

Эндрю держится в стороне. Нина (*ну почему всегда я, почему все приходится делать женщине?*) подзывает его к остальным.

— С Новым годом, Эндрю, — говорит она.

— С Новым годом, — отзывается он с глуповатым радушием бортпроводника, но остается где стоял, неподалеку от двери.

Почему он до сих пор здесь?

— Надо пойти найти Эндрю, — говорит Лиз.

— Надо.

Но секунду спустя Эндрю появляется на пороге и, как Годзилла по Токио, напролом устремляется к Лиз с Барретом. Он совсем не зол, во всяком случае на вид. Просто двигаться предпочитает по прямой, не обходя препятствий.

Лиз поднимается на ноги.

— С Новым годом, моя радость, — говорит она и раскрывает объятия.

— С Новым годом, — отзывается Эндрю и обнимает ее.

Они целуются, Эндрю обеими руками хватает Лиз за задницу.

— Обоих с Новым годом, — говорит Баррет и пробирается к выходу.

Эндрю вслепую хватает его за руку и пожимает ее. Похоже на то, что делает он это из искреннего расположения.

Баррету приходит в голову, что Эндрю знал, каким-то образом догадался, что им с Лиз нужно немного времени, и дал им это время, хотя Новый год был совсем на носу.

Другого человека легко недооценить. И так же легко завысить оценку. Штука в том, чтобы выбрать верную точку между двумя этими крайностями.

По пути в гостиную Баррет проходит мимо кухни. Там отчаянно целуются Тайлер с Бет. Пройти незаметно? С какой стати, они же одна семья, он приходится Бет запасным мужем и имеет полное право их прервать.

— С Новым годом, — говорит он.

Они разлепляются, слегка ошеломленные, как будто им странно оказаться вдруг на этой кухне, в этом мире.

— С Новым годом, дорогой, — говорит Бет.

Она подходит к Баррету, обнимает его тощими руками за плечи и целует в щеку.

Следом подходит Тайлер, он обнимает их обоих так, что Бет оказывается посередине, зажатая между Тайлером и Барретом. Баррет всем телом ощущает ее миниатюрность, ее упругую тонкокостность. Бет сейчас — белая мышка, любимый домашний зверек, которого держат и не выпускают двое мужчин, способных при желании легко его раздавить. Баррет готов поклясться, что она дрожит мелкой дрожью, как мышь, когда ее берут в руки, дрожит от настороженности и страха (человек как-никак животное хищное), а еще просто оттого, что она — очень маленькое существо, в чьей груди быстро-быстро бьется сердце размером с черничину.

— Только скажи, что у нас сейчас сеанс групповой терапии, и я тебя отшлепаю, — говорит Баррет Тайлеру.

Тайлер протягивает руку и гладит Баррета по голове. Бет молча стоит между ними, едва заметно покачиваясь из стороны в сторону. Потом закидывает голову, прижимается затылком Тайлеру к груди. Глаза у нее закрыты.

Баррет чувствует, что Бет собирается с силами, чтобы что-то сказать.

— Я побывала мертвой, — говорит она.

— Нет, — говорит Баррет. — Не побывала.

Глаза Бет не открывает. Она похожа на человека, который выучил наизусть длинную речь, и теперь наконец настало время ее произнести.

— Не в буквальном смысле, — говорит она. — Но что-то изменилось.

— А яснее? — говорит Баррет.

— М-м-м, ладно... Я долго болела. А потом... Произошел некий сдвиг.

Несколько мгновений на кухне слышен единственный звук — дыхание Тайлера.

— Я как бы... да, начала умирать. Чем-то новым занялась. И все стало по-другому. Я по-прежнему болела. Ужасно себя чувствовала. Но... Когда-то я чувствовала себя как здоровый человек, который заболел. А потом... Я была больной и даже не помнила уже себя небольной. Как будто начали гасить свет. Как гасят свет в доме, когда все ложатся спать.

Все трое молчат. Наверно, надо задать вопрос?

— И как там? — спрашивает Баррет.

— Хорошего мало. Но и не то чтобы совсем плохо. Такая... серая пустота. И на самом деле неважно, хорошо там или плохо. Там не это главное.

Она по-прежнему прижимается затылком к груди Тайлера. Глаза закрыты.

— Серая пустота, — повторяет Баррет, потому что на Тайлера, судя по всему, рассчитывать не приходится.

— Я понятно рассказываю? — спрашивает Бет.

— Более-менее.

— Я хочу, чтобы вы знали. Это было не слишком страшно. Хочу, чтобы вы знали.

— Мы знаем, — говорит Тайлер.

— Потому что, — добавляет она, — времени не так много.

— Имеешь в виду, в жизни? — спрашивает Баррет. — У каждого из нас?

Она слабо мотает головой, прокатывая затылок из стороны в сторону по плотному прямоугольнику Тайлеровой грудной мышцы.

— Да, — говорит она. — Наверно, я это имею в виду.

В десять минут первого все в сборе в гостиной и не понимают, чем дальше заняться.

— Делаем прогнозы на две тысячи шестой год! — кричит Фостер.

Очень неуместная идея. Все старательно не смотрят на Бет.

— Мой прогноз: мы сегодня здорово повеселимся, — говорит она.

Все поднимают бокалы. Чокаются, поздравляют друг друга.

Да, снова думает Баррет, поэтому-то Тайлер так тебя и любит. Многажды рассказанный старый сюжет: девушка из простонародья восходит на престол, и потом о ней слагают легенды, за то отчасти, что она приносит с собой доброту и другие распространенные человеческие добродетели в края, подвластные в целом двуличию и жестокости, как мелочной, так и разящей насмерть.

Снова повисает тишина. Чувство неловкости еще не выветрилось из гостиной.

Фостер отчаянно напрягает мозги: есть ли способ как-то сгладить допущенную им бестактность или любые его слова эту бестактность только подчеркнут. Тайлер теперь будет считать его бесчувственным эгоистом. И никогда не поддастся импульсивному желанию…

— Я предсказываю, что сам Бог велит судье Джону Робертсу исправиться. Права человека расцветут пышным цветом. Женщины, геи и цветные добьются своего. По всей стране улицы заполнятся танцующими людьми, — говорит Тайлер.

Все снова кричат и поздравляют другу друга, снова поднимают бокалы.

Первый и, возможно, последний раз в жизни целая компания благодарна Тайлеру за то, что он в обычной своей манере попенял ей за несерьезное отношение к важным вещам; этой своей манерой он заработал прозвище Мистер Несмешно (всякий раз, слыша его, Тайлер бывает одновременно смущен и горд).

— А я уверен, в моде по-прежнему будут только модные цвета, — говорит Баррет.

— А я — что розовый навсегда останется индийским темно-синим[1], — подхватывает Лиз.

Баррет обнимает Лиз за плечи. Она чмокает его в щечку. Они, слава Богу, не разучились быть несерьезными.

Вечеринка заканчивается. Фостер, Нина и Пинг уходят одновременно, как будто все вместе вдруг поняли, ни о чем между собой не довариваясь, что наступил момент, когда пора. Колокольчик прозвенел, кареты поданы, и никто не хочет слишком замешкаться, пропустить свою реплику, оказаться тем, о ком хозяин скажет, едва захлопнув дверь: *я думал, он никогда не уйдет.*

На Никербокер-авеню Фостер и Пинг прощаются с Ниной. *С Новым годом, дорогая, я тебя люблю, так прекрасно год встретили, тебе полагается приз за лучшую шляпу, езжай осторожней, завтра созвонимся.*

Нина направляется на север, Пинг с Фостером — на юг.

---

1   *Pink is the navy blue of India* — афоризм Дианы Вриланд (1903–1989), одной из создательниц и законодательниц американской модной журналистики, куратора Института костюма нью-йоркского музея "Метрополитен".

Нина едет в Ред-Хук[1] мириться с бойфрендом (*милый, я просто потеряла голову, решила, что начала в тебя по-настоящему влюбляться, и перепугалась, потому что ты же знаешь, как важно мне все держать в руках*), они помирятся и проживут вместе еще пару месяцев, пока Нина не уйдет к хирургу, с которым познакомится в "Барнис" (*Нина смело и не без вызова: "Дорогуша, это, конечно, не мое дело, но, прошу, не надо брать этот свитер, белым людям желтый цвет противопоказан"*); в случае со свитером он ее послушается, но ни в каких больше слушаться не станет, считая ее существом бесспорно красивым, но абсолютно бестолковым во всех сферах мысли и деятельности, за исключением выбора одежды (*это моя Нина, у нее семьдесят одна пара обуви, представьте, сколько она платит парикмахеру*); она с ним научится, встретив возражения, не настаивать на своей правоте (*если честно, я в этих вещах особо не разбираюсь*), отрастит волосы (*все же знают, что с длинными волосами женщина выглядит сексуальней*), прибавит несколько фунтов (*задница у женщины быть должна*) и перестанет общаться со старыми приятелями (*с этой кучкой лузеров*); они с хирургом поселятся на Верхнем Вест-Сайде в солидном доме с швейцаром.

1   Район в Бруклине.

Пинг проводит Фостера до станции линии *L*, на прощание они дважды, по-французски, поцелуются в щеки. Глядя, как Фостер спускается под землю, Пинг вообразит, что тот отправился в диско-клуб, в этакий грот в духе Кубла-хана, освещенный томно пульсирующими огнями (по какой-то непонятной причине танцпол в фантазиях Пинга окружен рвом с прозрачной голубой водой, а по ней в изящных серебряных челнах лениво скользят красивые юноши). Когда Фостер скроется из виду, Пинг вызовет по телефону такси (и испытает укол совести за то, что может себе это позволить). Воздаяние, впрочем, он получит на месте: машина приедет только через сорок пять минут. Диспетчер, конечно, предупредил о возможной задержке в связи с празднованием Нового года — *но не сорок же пять минут?* Стоя на Морган-авеню, такой пустынной, каким в эту самую яркую ночь в году может быть разве что отдаленный пригород Кракова, и дожидаясь такси, которое все не едет и не едет, Пинг со все нарастающей нежностью будет думать о своей небольшой, удобной и недорогой, поскольку снята давным-давно, квартире на Джейн-стрит в Гринвич-Виллидж (*и как вообще кому-то приходит в голову селиться в Бушвике?*), а мимо тем временем ветер пронесет украшенный рождественским поздравлением пластиковый пакет; он почувствует себя усталым путником, которому лишь бы добраться до постели (до массивной кровати конца девятнадцатого века с выгнутыми деревянными изголовьем и изножьем, которую он за смешные деньги купил в крошечной антикварной лавке в Нью-Бедфорде), включить арабскую лампу в каменьях и раскрыть томик Джейн Боулз. Дома он в который раз возблагодарит судьбу, даровавшую ему скромное наследство. Напомнит себе, как ему повезло, какое благословение выпало на его долю.

Фостер пойдет в клуб, огромное помещение с черными стенами, ни капли не похожее на явившееся Пингу видение неземного изобилия; здесь в полумраке танцуют под хаус голые по пояс мужчины. Еще не оправившись от досадной неудачи с Тайлером, Фостер снимет доступного и ни к чему не обязывающего парня по имени Остин; так себе добыча — тощий, почти подросток, с лисьим лицом и жадными глазами. Фостер назначит его себе в качестве наказания. Тем удивительнее будет оборот, который примет эта история утром, когда парень назовет свою фамилию — Марс. Он окажется наследником шоколадного состояния. Фостер продолжит удивляться, пусть по прошествии времени слабее, даже когда десять лет спустя вдруг поймает себя на том, что уже давно живет с Остином Марсом на лошадиной ферме в Западной Вирджинии.

Вскоре после Пинга, Нины и Фостера уходят и Лиз с Эндрю. Баррет, Тайлер и Бет втроем сидят на диване, огромном, по-старушечьи дряблом диване, единственном предмете, унаследованном Тайлером и Барретом от матери (почти все остальное забрал отец и увез к себе в Атланту). Диван покрыт одеялами и индийскими тканями (они благополучно скрывают от глаз свалявшуюся катышками, трупного цвета обивку). Дряхлая плоть дивана подается под весом человека, принимает его, окружает, вбирает в себя.

— Ну и как вам две тысячи шестой? — спрашивает Баррет.

— Вроде нормально, — отвечает Тайлер.

— Жить пока можно.

— Да, можно, — говорит Тайлер. — Нам, белым, у которых есть квартира и на экране телевизора трещит огонь...

Бет дотрагивается пальцем до его губ.

Он умолкает.

Только какое-то время спустя Баррет поймет, почему тот момент и тот мимолетный жест показались ему такими многозначительными. Осознание придет не сразу.

Заключаться запоздалое осознание будет в том, что Тайлер отныне принадлежит Бет. Теперь, когда она поправилась, они стали уже совсем не той парой, какой были, пока Бет умирала. Та Бет, что ускользала от них, что требовала все больше внимания и заботы, принадлежала им обоим, Тайлеру и Баррету, была их угасающей святыней, их принцессой-беглянкой, которую час за часом, день за днем отбирала у них злая колдунья, от чьей власти ей, вопреки собственному ощущению, так и не удалось освободиться.

Тайлер и Баррет были ее служителями, ее свитой.

Но в ночь на новый, 2006 год Бет объявила себя женой Тайлера, и это не потребовало от нее ни усилий, ни затрат: она просто приложила палец к губам Тайлера и заставила его замолчать.

Баррету Тайлер никогда бы ничего похожего не позволил.

Тайлер ни разу в жизни не замолчал по воле Баррета. Отношения между братьями такого не предполагали. Допускались бесконечные споры, которые могли оканчиваться на повышенных тонах, но не обязательно. В порядке вещей были обсуждения, дискуссии, перебранки, словесные поединки и дуэли, они обмозговывали что-то и приходили к согласию, но только Бет была способна положить конец речам одного из них одним пальчиком, с той же легкостью, с какой нажимала на выключатель лампы.

И теперь дело Бет, а не Баррета поговорить с Тайлером о наркотиках. Это вошло в ее зону ответственности, стало ее, а не Баррета обязанностью. Баррет с Тайлером отныне не состоят в браке.

Все эти мысли придут позже. А пока, сидя на диване через без малого час после наступления Нового года, Баррет думает только о том, что надо встать, поцеловать их обоих на ночь и уйти к себе спать.

— Спокойной ночи, родные.

— Спокойной ночи, любовь моя.

— Приятных снов.

— До встречи в новом свете завтрашнего дня.

— До встречи в аду, ублюдок.

— Спокойной ночи, спокойной ночи, спокойной ночи.

Когда Баррет уходит спать, Тайлер говорит Бет:

— Мы дадим себе единственное новогоднее обещание: до 2007-го съехать из этой дыры.

— Да, давно пора, — говорит Бет. — Хотя мне и тут неплохо. Симпатичная, в сущности, квартира.

— А представь что-нибудь не такое тоскливое.

— Это нетрудно.

— Представь, что нет подвесного потолка, нет драного ковролина.

— Да, без них лучше, кто спорит?

— Представь район, где рядом с домом можно купить нормальную еду. Представь, детка, — свежие овощи. Всего в одном-двух кварталах от дома.

— Баррет с нами переедет? — спрашивает она.

Тайлер молчит. Похоже, это вопрос ему в голову не приходил. Он кидает взгляд на экран, на котором пылает камин.

— Не знаю. А ты как думаешь?

— Ты меня вынуждаешь?

— Вынуждаю к чему?

— К тому, чтобы я сказала: твой брат должен от нас съехать.

— Бет не терпит тесноты.

— Я серьезно.

— Тогда давай так, — говорит Тайлер. — Ты *хочешь*, чтобы Баррет съехал?

— Не хочу. Не знаю. А точно я хочу, чтобы ты не ждал, что я первая об этом заговорю.

— Глупо как-то.

— А по-моему, нет.

— Смотри, сегодня Новый год, мы отлично отпраздновали, а теперь будем с тобой спорить из-за квартиры, которой у нас еще нет.

Бет встает с дивана.

— Пойду прогуляюсь, — говорит она.

— С ума сошла?

— Да нет. Просто пройтись хочу.

Он обнимает ее за плечи, притягивает к себе. Она не сопротивляется, но и не то чтобы уступает.

— Я хочу сделать тебя счастливой, вот и все, — говорит он.

— Может, тебе стоит перестать. В смысле, не пытаться все время меня осчастливить.

— Необычная просьба.

Она освобождается из его объятий.

— Не обращай внимания. Ерунда. Схожу погуляю и снова буду в порядке. Хорошо?

— Мне не нравится, что ты идешь одна в такой час.

— Сегодня же Новый год. На улице полно народу.

— Пьяного народу. Агрессивного и опасного.

— Я минут через двадцать вернусь.

— Надень флисовое пальто — холодно.

— Я знаю, что холодно. И я и так хотела надеть флисовое пальто.

— Диковато как-то. Я про то, что у нас тут происходит.

— А что? Мы ссоримся. Велика беда. Да, время от времени мы с тобой будем ссориться.

— Знаю.

— Неужели?

— Иди гуляй.

— Уже иду.

Но Бет никуда не идет, медлит. Они с Тайлером какое-то время стоят молча, словно дожидаясь... Чего-то. Или кого-то. Сообщения. Новостей.

Закрыв дверь за Бет, Тайлер сидит в одиночестве на диване (к которому они уже относятся скорее не как к предмету обстановки, а как к любимой собаке). Рождественская гирлянда все еще зажжена (на вкус Тайлера, самый красивый оттенок красного — тот, каким светятся красные лампочки гирлянды). На экране телевизора так и продолжает потрескивать камин.

Тайлеру странно, что выздоровевшая Бет — его жена. Что они с ней поженились, как женятся все. У них будут ссоры. Они станут друг друга раздражать.

А чего он, собственно, ожидал?

Наверно, перехода в новое качество. Бесконечной нежной невинности, которой чудовище больше не угрожает, потому что оно убито; будущего, отшлифованного до блеска, тем безупречней играющего гранями, чем внезапней оно даровано.

Разве почти половина тех, кто крупно выиграл в лотерею, не кончают жизнь самоубийством? Кончают, хотя, может, и не половина.

Тайлеру в голову лезет всякая чушь, он это прекрасно понимает, но от понимания ему почему-то не легче.

В одиночестве Тайлер гораздо восприимчивее к доносящемуся с улицы шуму: крикам, новогоднему ликованию, радостному блеянию и злобной ругани автомобильных гудков (и как это клаксону, в чьем репертуаре один-единственный звук, удается так узнаваемо выражать и ярость, и радость?), отдаленному грохоту фейерверков, которые Тайлеру слышны, но не видны.

Две тысячи шестой. Мир катится в глубокую задницу.

Ладно, не очень глубокую. Не катится, а пока только подкатывается к ней.

Тайлер признается себе (собственные мысли и поступки он старается анализировать так же тщательно и честно, как и явления внешнего мира), что, с облегчением видя, что дерьмо не совсем еще вышло из берегов, он в то же время отчасти этим разочарован. Мы (не забудь: избранное меньшинство, которому повезло) прожили два года второго срока, и все более-менее. К нам домой не приходят с обысками, нас не сажают в подвалы и не бреют нам головы.

Но Тайлеру все же хочется чувствовать за собой бо́льшую правоту. В связи с этим его неотступно преследует одна фантазия: они с Барретом (включить в эту картину Бет он не решается) стоят в длинной очереди откуда-то куда-то свезенных людей. Баррет просит прощения за равнодушие, с каким он отнесся к безобразиям ноября две тысячи четвертого, Тайлер утешает его, прощает, уверяет, что ему просто недоставало информации; Баррет трогательно его благодарит.

Перед ними в очереди пожилые супруги, судя по их виду, у них сохранилось кое-что из драгоценностей и "Армани". Они шепотом переговариваются о том, что произошла явная ошибка, что ее скоро исправят, и тут Тайлер понимает, что вот этим двоим он все и выскажет. Ему мало было проклинать "Нью-Йорк таймс" (спасибо тебе, говноредакция, что хоть извинилась на первой странице за то, что вы там, возможно, несколько поторопились запустить утку, которая помогла развязать войну); мало было звонить на радио — в тот единственный раз оказалось, что голос его, спокойный и суровый, героический и глубоко человечный, на самом деле неотличим от голосов массы тупых бездельников, что наполняют эфир радиопрограмм, принимающих звонки слушателей. С пожилой парой он волен не сдерживать себя, как сдерживает при общении с братом, женой и друзьями, которые всегда на его стороне, соглашаются с ним по всем пунктам, и попенять им можно разве что за... А, собственно, за что? За то, что они каждый сам по себе? Что не подписывают петиций? Что им не хватает злости?

Да. Именно за это. Потому что надо, чтобы во всех вокруг было столько же возмущения и злости, сколько в нем. Ему надоело жить с чувством, что он один.

А здесь, в его фантазии, перед Тайлером люди по-настоящему виновные: в том, что благоденствовали, что думали только о себе, что дергали в день выборов рычаг и думали при этом: *да, именно так и надо*.

Пожилые супруги совсем недавно еще жили припеваючи, а теперь их, ошарашенных, с искаженными лицами, пригнали на поклон к завоевателю, который вроде бы обещал, что плохо придется только прислуге и мелким воришкам. Они сами виноваты в том, что теперь творится, и Тайлер наконец с полным правом может выложить им все.

Тут-то каждый раз видение и обрывается — стоит только ему встретиться с ними глазами, увидеть растерянность на сытых лицах. Над содержательной стороной своей диатрибы Тайлер даже не задумывается. Если бы все это происходило у него в сексуальной фантазии, ровно за мгновение до того, как приступить к праведному разоблачению, он бы кончил, как кончает, когда воображаемая она впечатывает его лицо в свои груди, или натягивает на него свои трусики, или закидывает ноги ему на плечи.

Для него, похоже, важнее предвкушение. Над этим надо будет подумать.

Но не сейчас, позже. А сейчас он сидит в гостиной наедине с самим собой; он хорошо выпил шампанского и понюхал порошка и потому слишком расслаблен (простим ему это), чтобы поразмыслить над тем, что, будь его кожа другого цвета, ничего этого ему было бы не видать.

Он плывет по течению...

И неожиданно приплывает к чувству благодарности за эти одинокие минуты, которое испытывает теперь, с тоскою порой вспоминая время, когда Бет болела и смысл его существования был прост и понятен, как ракета "земля — воздух".

Кажется, пора еще приложиться. Он стал меньше употреблять, гораздо меньше, но дорожка (или две) сейчас пришлась бы ему очень кстати, помогла бы разобраться со стыдом за проблески тоски — тоски по временам, когда Бет была больна, по четкости и осмысленности, которые были тогда в его жизни, и да, даже по суровой гранитной физиономии самой смерти, на которую уходила вся его ярость. Это совсем хреново, да? А то, что музыка у него выходит еще жиже и аморфней, чем раньше? Что в отсутствие необходимости придумывать наперегонки со временем что-то чудесное для любимой, пока она еще способна подарок оценить, его, Тайлера, покидает ощущение смысла?

Все, хватит. Нужно сделать паузу. Короткую. Он встает, чтобы сходить в комнату за пузырьком. Сегодня же как-никак Новый год.

Бет выходит на Никербокер-авеню. Сыплет легкий снежок, прозрачный и почти невидимый за пределами оранжевых нимбов фонарей — маленьких киноэкранов, раскиданных по одному на квартал и показывающих тонкое кружение вихрей из оранжево-золотистых искр.

На улице есть прохожие, их немного, но и то уже толпа по меркам Никербокер с ее обычным тревожным безлюдьем по ночам. Люди возвращаются домой из районов, где больше музыки и света. Впереди, в конце квартала, взявшись под руки, неверной походкой на высоких каблуках идут три латиноамериканские девушки, счастливые, но обессилевшие, достигшие наконец финиша ночи, начавшейся много часов назад, когда они одно за другим примеряли платья, делали друг дружке макияж, придумывали и сооружали прически и каждая предвкушала (или запрещала себе предвкушать), что сегодня ночью он появится в клубе или на домашней вечеринке и будет сражен, увидев ее во всем блеске очарования; что эта ночь приведет ее в конце концов в некий дом, где маленький сын будет выпрашивать у нее еще мороженого, а она, с его уснувшей крошкой сестрой на руках, в это время скажет мужу: *а мы ведь с тобой на Новый год познакомились, как это неоригинально!*

Остаться в живых — это здорово. Здорово снова идти сквозь снежную пыль мимо витрины винного с богатой экспозицией бутылок, украшенных малюсенькими мигающими огоньками; смотреть, как скользит по витринному стеклу твое отражение; снова радоваться самым обычным вещам — собственным шагам по тротуару, тому, что можно на ходу сунуть руки в карманы пальто и нащупать там что-то, что, скорее всего, окажется потом завалявшейся коробочкой "Тик-так".

Она без всякой цели проходит пару кварталов до Флашинг-авеню, холодный воздух обжигает на вдохе горло, лица чуть заметно касаются почти невидимые снежинки. Она не хочет уходить далеко, ей просто нравится это публичное одиночество, нравится, что никто из прохожих не бросается ее обнимать, никто не заглядывает с сочувственным любопытством в глаза, не восхищается ею.

Ведь восхищение тоже может немножко утомлять.

На Флашинг она поворачивает обратно. Ей навстречу идут парень и девушка. Он белый, она чернокожая. Обоим по двадцать с небольшим. Про него она сразу понимает, что это молодой художник, который, как и Тайлер, живет здесь, потому что во всех других местах слишком дорого. На нем неоново-синий костюм, черное пальто и высокие кожаные ботинки. На ней (кто она и чем занимается, определить труднее) узкое белое платье, поверх которого надета короткая кроличья шубка. Они держатся за руки и чему-то смеются. Когда они подходят ближе, Бет видит, что лицо у него тонкое и изнуренное, большие глаза смотрят озадаченно, а нижняя челюсть скошена, ее как бы и нет. Девушка болезненно худая, с маленькой головой, когда она смеется, обнажаются большие квадратные зубы, которые на вид с трудом помещаются во рту. Но друг для друга эти двое красивы. Это вполне могут быть друзья детства, чья дружба переросла в любовь. Они смеются между собой, как заговорщики, связанные тайными узами чувственности, радостью от нарушения запретов.

Встретившись с Бет, они говорят в один голос:

— С Новым годом.

— С Новым годом, — отзывается она.

Парень с девушкой идут дальше.

Внезапно у Бет возникает мысль: ради того, чтобы повстречать эту пару, она и вышла из дому. Ей, разумеется, неоткуда знать, какие их одолевают беды и какие несчастья ждут впереди, но это не мешает Бет радоваться мимолетному появлению двух людей, у которых именно в эту минуту все хорошо; у которых есть с кем вместе посмеяться, кого взять за руку; которые могут так беззаботно делиться друг с другом ясностью и простотой юности, любви, этой ночи, которая обещает им бесконечную череду новых ночей, этого мира, чья щедрость превзойдет любые их надежды; мира, одарившего их этой заснеженной улицей и обещанием скорого домашнего тепла, как будто любовь и кров — самые простые и важные вещи на свете.

Бет лишилась ясности и простоты, когда вернулась к жизни.

На нее взвалился груз благодарности. Она такого не ожидала. Теперь ее преследует ощущение, что, получив невероятный дар, она должна найти ему применение. До болезни ей хватало того, что она любит Тайлера, хозяйничает в магазине у Лиз, что-нибудь печет в выходные, занимается сексом, шлет и-мейлы и обыгрывает Баррета в скрэббл (он ни разу не выиграл, ни разу, этот славный выпускник Йеля).

И сейчас нет никакой особой причины, которая обязывала бы ее к чему-то большему, но она стала стыдиться пустоты своих дней и ночей. Она чувствует, что надо что-то делать. Что надо отдавать долги.

Да, но каким образом?

Она не может всю себя посвятить добрым делам. У нее есть работа, им с Тайлером нужны деньги. По субботам она ходит волонтером в больницу, читает книги старым и немощным, эти визиты приносят удовлетворение, но не кажутся достойным ответным приношением.

Очень странное оно, это чувство, что ей чего-то не хватает.

Она никому о нем не рассказывает. И даже себе самой неохотно в нем признается.

Бывают моменты — нечасто, так, временами, — когда ей кажется, будто после возвращения к жизни она оказалась... слегка не на своем месте. Умирать было страшно, но она умирала так долго, что успела обучиться этому делу и неплохо с ним справлялась; в своей неизбежности оно стало для нее неким подобием дома, родины, безвестной, но исполненной доблести страны, древней, крепкой и безмятежной; местом, где тщательно выметенные улицы ведут к площадям с фонтаном посередине, где магазины и кафе содержатся в порядке и чистоте, где равно немыслимы и страх катастроф, и упование на безудержную, преображающую мир радость.

Кто знает, может, и Персефоне случалось летом изнывать от жары, а красоту цветов считать кричащей и безвкусной? Хоть изредка не вспоминала ли она с нежностью Аид, его сумрачную тишину, его прохладную и бесплодную пустоту? Не стремилась ли скрыться в зимнем своем убежище от земного изобилия, от мира, понуждавшего ее к счастью и столь исполненного чудес, что мало кому удавалось уклониться от танца с венками?

Бет подходит к дому. Останавливается, задирает голову. На втором этаже неярко светятся два окна гостиной; Бет видно, что свет идет от трех цветных лампочек — красной, зеленой и синей, — висящих под потолком на тонком зеленом проводе.

Она стоит у подъезда дольше, чем ожидала, ни о чем конкретном не думая, просто глядя на окна дома, в котором живет.

Вечер

Никто не думал, что урну будет так трудно открыть. Она сделана из шлифованного алюминия, формой и размером похожа на литровую банку краски, но в отличие от краски крышку ее нужно откручивать. Никому в голову не пришло заранее, на берегу, попробовать, как это делается.

Тайлер, Баррет и Лиз жмутся тесной кучкой на корме парома, облокотясь о металлическое ограждение цвета дорожно-ремонтных конусов (кричаще оранжевый цвет сигнализирует: *опасность*); жмутся друг к другу они отчасти потому, что вечером на воде даже в апреле оказалось неожиданно холодно, но главное, им не хочется привлекать внимание одетых в синюю униформу членов экипажа (это правильно — называть этих людей "членами экипажа"?), перед которыми явно не стоит задача пресекать попытки незаконно развеять за бортом прах, но которые непременно вмешаются, если вдруг застанут пассажиров за этим занятием.

Тайлер, старательно напустив на себя отсутствующий вид, бьется с неподатливой крышкой.

Вокруг на черной воде залива покачиваются отражения огней, внизу за кормой тянется сероватый пенный след, подвижный, как струя дыма. Трафик в акватории невероятно оживленный. Тяжело, темные и молчаливые, ползут огромные сухогрузы, их задирают гудками корабли поменьше — суетливые, усыпанные огоньками игрушки. Паром только что миновал сонный силуэт башен острова Эллис и теперь приближается к купоросно-зеленой Статуе Свободы, отрешенно протягивающей свой факел угольно-черным небесам.

— Черт, черт, — приговаривает Тайлер, — черт, чтоб ее!

Баррет трогает его за плечо. Надо успокоиться — ругань сейчас не просто неуместна, она превращает церемонию (насколько то, что они делают, можно назвать церемонией) в комический номер, а это никому не нужно.

— Дай попробую, — говорит Лиз.

Она не хотела ехать, настаивала, что Баррет с Тайлером должны все сделать вдвоем (нельзя же целой толпой являться на паром с урной), но они ее уговорили. Лиз любила Бет и познакомилась с ней раньше Тайлера и Баррета. А главное, все понимали — трудно объяснить почему — необходимость женского участия.

Тайлер не хочет отдавать урну. Раздраженная его мужским упрямством, Лиз пытается отобрать ее. Тайлер сначала сопротивляется, но скоро, чтобы не показаться смешным, уступает.

— М-да, — говорит Лиз, попробовав отвинтить крышку, — не открывается.

— А я про что.

Для замечаний типа *ну да, не открывается. А ты думала, я дебил криворукий?* сейчас не время.

Лиз лезет в сумочку.

— У меня есть нож, — говорит она.

Конечно же, у Лиз есть с собой нож. И именно такой, какой она извлекает из сумочки, — швейцарский армейский, с дюжиной лезвий, пилкой для ногтей, ножницами и бог знает чем еще.

— Ты — богиня полезных штук, — говорит Баррет.

Лиз открывает пилку для ногтей и пытается поддеть ею крышку.

— Осторожно, — говорит Тайлер.

Несколько раз пилка выскакивает из узкого зазора, но потом Лиз надавливает сильнее...

Крышка подается. Лиз поворачивает ее, но до конца не развинчивает и протягивает урну Тайлеру.

Тот без особого желания ее берет. Баррет по-прежнему так и держит руку у него на плече.

Тайлер зажмуривается и тяжело вздыхает.

— Внутрь обязательно смотреть? — спрашивает он у Лиз.

— Я прах уже видела, — отвечает она. — А ты, если не хочешь, можешь не смотреть.

Мимо проплывает очередной сухогруз, на сей раз груженный стальными контейнерами размером с товарный вагон, этакими штабелями гигантских сундуков; вряд ли они на самом деле покрашены черной краской, но со стороны выглядят черными. На сухогрузе ни огонька. И никаких признаков рулевого или того места, где рулевой мог бы находиться.

Тайлер показывает взглядом на черную громаду, от которой не исходит ни проблеска света, движущуюся совершенно беззвучно и при этом быстрее, чем паром.

— Подождем, пока проплывет, — говорит он.

Всем троим кажется лишним сейчас пускаться в рассуждения о том, как любит мироздание посылать напоминания о смерти, эти *memento mori*, причем выбирает для этого самые неудачные моменты.

Они молча ждут, черный сухогруз без рулевого скользит мимо. Позади него монолитным зиккуратом сияет Манхэттен. Левее лениво и плавно провисшие цепочки огней на мосту Верразано перекликаются с редкими и неяркими звездами.

За спиной у них пассажиры, плывущие с работы домой, эти усталые рабы на зарплате, все до одного благоразумно забились в салон и флегматично сидят там, в залитом зеленоватым светом аквариуме.

— Ну что, — говорит Баррет. — Начнем?

Тайлер кивает и откручивает крышку.

Его тянет заглянуть внутрь. Но он предпочитает послушаться Лиз. Какое бы зрелище его ни ждало (там и фрагменты костей тоже есть или только пепел? И какого цвета этот пепел?), он не хочет, чтобы оно предстало ему содержимым консервной банки.

Способен ли он вообразить, что рецидив Бет каким-то образом связан с той их новогодней ссорой; что он привлек внимание какого-то злого божества, признавшись себе, что отступление смерти выбило из-под него часть опор? Да, вполне способен.

— Я сейчас высыплю часть, — говорит он. — А потом вы тоже.

Нерешительно, будто опасаясь сделать неверное движение (на секунду он представляет, как выглядит пепел, рассыпанный по стальному настилу палубы), Тайлер поднимает урну на уровень плеч и постукивает по ней пальцем.

Ничего не происходит. Прах, что ли, спрессовали? Его надо разрыхлить?

Он аккуратно встряхивает урну.

Из нее вырывается завитое спиралью буроватое облачко. Мгновение спустя пепел сыплется сплошной струей, но ее тут же подхватывает и рассеивает ветер. В воздухе промелькивают и кусочки костей. Потом от струи снова остается полупрозрачное облако, а потом все заканчивается.

Тайлер передает урну Баррету. Баррет развеивает по ветру свое облачко праха и вручает урну Лиз, та делает то же самое. Урна пуста.

Тайлер не ожидал, что прах исчезнет так стремительно и бесследно. Огромная бурлящая акватория выглядела страшнее, чем ему представлялось, больше похожей на черную, испещренную огнями Арктику. Он не ожидал, что все произойдет посреди сверкающей, открытой всем ветрам тундры, в окружении снующих повсюду кораблей. Тайлер думал, что увидит, как прах растворяется в воде. А он вместо этого полностью и без следа растворился во взвихренном воздухе. Вечер продолжается. Они втроем молча стоят у перил, а мимо тем временем проплывает еще один грузовой корабль, на сей раз размером с футбольное поле; его басовитый стон похож на выдох колоссальной валторны.

Они сойдут на берег на Статен-Айленде, потом сядут на тот же паром и вернутся на Манхэттен. Остальные ждут их дома. Остальные — это Пинг, Нина, Фостер и еще с десяток знакомых. Они, как принято в таких случаях, приготовили ужин. И договорились не произносить словосочетания "торжество жизни".

Казалось бы, Тайлер, Баррет и Лиз должны сейчас обняться или хотя бы положить друг другу руки на плечи. Вместо этого они стоят близко один к другому, но все же выдерживая безопасную дистанцию. Каждый ждет, что кто-то другой вот-вот скажет что-то невыносимое, но никто не знает, что будет в этом заранее пугающем излиянии — скорбь, обвинения... или что-то еще, что-то такое, что все трое могут понять, но назвать никто не может. Всем ясно, что какие-то слова должны быть произнесены, выкрикнуты, выблеваны в черную воду, но и Тайлер, и Баррет, и Лиз — все ждут, что они будут исходить от другого. Всеми овладела необъяснимая сдержанность, ощущение, что любая неосторожность чревата для них полным уничтожением. Но никто даже не заикнется об этом. В тревожном ожидании, надеясь на наступление катарсиса и в той же мере на то, что все в конце концов промолчат, они смотрят на огни Манхэттена, на леденяще-белое сияние паромного причала, на исчезающий вдали перст — Мисс Свободу.

А что теперь делать с пустой урной? Об этом никто из них не подумал.

Ноябрь 2008

Тайлер с Барретом не успели еще вынести все вещи на тротуар, а их уже принялись разбирать. Пожилая пара, воплощенное изящество нищеты — он с лакрично-черными волосами и с шелковым шарфом на шее, она чопорно седая, в старинном жакете "Пьер Карден", некогда оранжевом, а теперь цвета медицинского пластыря, — уносят два хлипких стула. Они несут стулья сиденьями вперед, словно предлагая усадить любого желающего и отнести куда тот попросит. Вытаскивая громоздкую картонную коробку со старыми *DVD*, Тайлер встречается с ними взглядом, но в их лицах нет ни тени признательности. Прямо-таки низложенная королевская чета. Да, стулья эти они себе вернули, но вы, молодой человек, и представить себе не можете, сколько всего утрачено безвозвратно.

Едва стулоносные супруги удаляются в направлении Темз-стрит, у вещей, заинтересованные лампой-маяком, притормаживают трое долговязых скейтеров, у всех троих над джинсами виднеется трехдюймовая полоска трусов.

— Там надо провода менять, — говорит им Тайлер, опустив на тротуар коробку с *DVD*.

— Спасибо, дядь, что сказал, — отзывается один из парней, и они катят дальше, как будто он предупредил их о скрытой опасности.

Баррет появляется из дверей дома, с трудом волоча зеленое дерматиновое кресло. Тайлер торопится ему на помощь. Они устанавливают кресло на тротуар, и Баррет бухается в него.

— Прощай, старичок, — обращается он к креслу. — Удачи тебе в будущих начинаниях.

Баррет поглаживает лоснящийся ядовито-зеленый подлокотник.

— Нельзя же привязываться ко всему подряд.

— Ну, есть люди сентиментальные, есть не очень, — говорит Тайлер.

— Я не сентиментальный, я... сердобольный.

Тайлер закуривает (до того как пойти лечиться от наркомании, он курил от случая к случаю, теперь у него вылетает по пачке в день). Они с Барретом окидывают взглядом тротуар — здесь выставлена вся их квартира. Баррет настоял на диорамном принципе: вот компактно мебель из гостиной, вот кухонный стол и стоявшие вокруг него разнокалиберные шаткие стулья. С усердием выставочного куратора Баррет воссоздал до боли знакомый беспорядок Тайлеровой с Бет спальни, по возможности сгруппировав убогие сокровища на привычных местах вокруг кровати.

Тайлеру странно на все это смотреть. И не потому, что экспозиция развернута на тротуаре, — просто Тайлер прежде не замечал, насколько никчемно и убого их добро. Расставленные в квартире по местам, эти вещи казались ему забавными, ироничными, в меру экстравагантными. Выставленные на публику, они приобретают свойства, на которые и намека не было при частном повседневном употреблении. Посторонние люди рассматривают их, что-то берут, что-то отставляют в сторону. А сверху на все это глядит серое небо, серебрит кастрюли и сковородки, заставляет кухонные стулья отбрасывать бесформенные тени на тротуар. С запада неспешно наплывает громадная свинцовая туча, с ее приближением низкое серое небо начинает грозить дождем. Кухонная утварь теряет свой глянец, а стулья — тени, и все хозяйство заметно скучнеет. Оживить вид предметов на тротуаре так же непросто, как подбодрить шуточками человека, представшего пред судом тысячеглазого божества с зеркальными крыльями.

— Мы точно не хотим ничего себе оставить? — спрашивает Баррет. — Надо решать сейчас, потом будет поздно.

— Мы телевизор оставляем.

— Я за то, чтобы от телевизора избавиться.

— Без него мы не сможем следить за выборами.

— Победит Обама, — говорит Баррет. — Я серьезно так думаю.

Тайлер устало мотает головой.

— Эта страна не готова к черному президенту. Так что готовься жить при президенте Маккейне. И к тому, что вице-президентом будет Сара Пейлин.

— А я думаю, — говорит Баррет, — что эта страна готова к любому президенту, лишь бы он навел порядок в экономике и — хорошо бы — перестал убивать людей в странах третьего мира.

— Ты мечтатель. Это хорошо о тебе говорит, но при этом слегка раздражает.

— Что-то мне неспокойно, — говорит Баррет.

— Еще бы. С перспективой получить Сару Пейлин…

— Нет, неспокойно от того, что мы от всей мебели избавляемся.

— Как от всей? А диван? Мы же оставили себе диван, — говорит Тайлер.

— Еще бы мы тетушку Гертруду не оставили. Я надеюсь на этом диване испустить свой последний вздох. Обещаешь, когда придет время, меня на него положить?

— Если я тебя переживу.

— Мне кажется, переживешь.

Баррет тревожно оглядывается по сторонам.

— Эй-эй, поаккуратней. Ты что, не понимаешь? После таких слов в меня вот тут, в кресле, почти наверняка въедет такси.

— Может, ты и не сентиментальнее меня. Но суевернее, это без вопросов.

— Я более тебя открыт возможности чудесного. Как тебе?

Они молча наблюдают, как бездомный в свитере цвета сажи и почерневших шерстяных штанах, похожий на чудом выжившего при пожаре, берет в руки вазу в виде бюста Данте (из макушки сурового поэта до сих пор торчат купленные у корейцев тюльпаны), внимательно изучает и ставит на место.

— И ему не нужна, — говорит Баррет.

— А что бы он с ней делал?

— Мне ее Лиз подарила.

— Как она?

— Ей полегче уже. По-моему, почти оправилась.

— Иногда даже на люди выходит. С Эндрю и с тем, новым. Выводит их в ресторан ужинать.

— Как подобает Лиз.

— То есть в этом дело? Она, что ли, поступает определенным образом, потому что так подобает Лиз?

— Да, иногда. Да и ты сам тоже небось...

— Я, наверно, нет, — неуверенно отвечает Тайлер.

— Да брось. Ведь наверняка же бывает: когда не знаешь, как поступить, ты спрашиваешь себя — а как бы *я* в такой ситуации поступил?

— Ну, может, и бывает, — Тайлер выпускает струйку дыма и говорит: — Почему ты мне не рассказал про тот твой чертов свет?

— Извини, не понял.

— Ты всем рассказал. И Лиз. И даже этому Эндрю.

— Все, что сейчас происходит, — это потому...

— Потому что происходит. Потому что ты видел, как Святая Дева, чтоб ей пусто было, бьет на небесах чечетку, и ни слова мне об этом не сказал.

Баррет берет себя в руки и спешно ищет здравого смысла и логики, но не находит даже следов ни того ни другого.

— Неправда. Я тебе рассказал.

— Ага, когда Бет умерла. А до того почти пять месяцев рассказывал кому ни попадя. Чего ты дожидался?

Нет, лучше так: зачем ты вообще мне рассказал? Почему не устроил так, чтобы про это чудо знали все-все на свете, кроме меня?

Баррет изо всех сил старается сосредоточиться. Может, и к лучшему, что повздорили они на людях; если бы их не видели и не слышали сейчас посторонние, не исключено, что ссора приняла бы опасный оборот. И еще хорошо (хорошо ли?), что это происходит в окружении знакомых, личных вещей, которые уже не их, но еще и не чужие, уже не составляют обстановки одной квартиры, но еще не разбросаны по свету.

— Ты давно снова начал наркотики принимать? — спрашивает Баррет.

У Тайлера на лице, вопреки ожиданиям Баррета, не появляется выражения провинившегося мальчишки. Он сильно затягивается сигаретой и возмущенно смотрит на Баррета, как будто тот специально дожидался вселенской катастрофы, чтобы попрекнуть Тайлера уклонением от мелких домашних обязанностей.

— Ты что, теми несколькими фразами про свет рассчитывал меня утешить?

— Я боялся, что...

Тайлер затягивается так свирепо, что огонек на конце сигареты из обычного оранжевого становится ярко-мандариновым.

— Я боялся, что получится, будто я встреваю.

— А если попроще?

— Ну, что пытаюсь... не знаю... Поучаствовать в заботе о Бет. Показать всем, как важно, что я помогаю.

— Продолжай.

— Ну, наверно, я думал... что это будет выглядеть типа "Тайлер пишет для нее песню, Тайлер на ней *женится*, это здорово и хорошо. А зато я, Баррет, младший братец-гей, видел *свет*. Аж *в небе*".

— То есть ты не рассказывал мне о самом потрясающем событии в твоей жизни, потому что боялся произвести неправильное впечатление.

— Я начал сомневаться...

— Ага-ага.

— Я начал сомневаться, видел ли я что-то на самом деле или просто... все выдумал.

— Зачем такие вещи выдумывать?

Тайлер отбрасывает окурок и закуривает новую сигарету.

— Не знаю, может, чтобы почувствовать себя не пустым местом? Я же ничего не делал для того, чтобы Бет поправилась...

— Никто не делал, помочь было невозможно...

— Я не мог написать для нее песню, не мог на ней жениться.

— И поэтому состряпал себе галлюцинацию.

— Сначала казалось, что я точно видел свет и никаких сомнений быть не может. А потом я уже не был так уверен. И все ждал... не знаю... видения номер два.

— По-твоему, такие штуки парами поставляются?

— По-моему, я слишком долго слишком сильно стараюсь.

— Чего-чего?

— Мне больше не важно что-то значить. Стараться влиять на ход вещей.

— То-то я смотрю, много ты навлиял, — говорит Тайлер.

— Но ведь одно дело не стремиться к житейскому успеху и совсем другое — перестать считать себя неудачником из-за того, что к нему не стремишься. Я все думаю, не это ли означал свет. Ну, как бы он сообщал: тебя видно, про тебя помнят, не надо пыжиться, не обязательно, чтобы твою фотографию напечатали в журнале.

— Мы разве только что не договорились, что свет тебе привиделся?

— В том-то и дело, — говорит Баррет. — Неважно, было это на самом деле или только в моем воображении.

На лице у Тайлера появляется абсолютно новая для него гримаса. Он становится очень похож на мать. Неужели он уже много лет назад научился так насмешливо кривить рот, с таким циничным выражением выгибать бровь? Неужели приберегал свое умение для особенно ответственного момента?

— Ты хочешь чего-то совсем своего, да?

Баррет, похоже, не знает, что ответить.

— Хочешь чего-то вообще не связанного со мной, — говорит Тайлер. — Я прав?

— Я хочу кое во что внести ясность. По-твоему, наверно, мы должны плясать от радости, что ты тайком нюхаешь порошок. Так?

— Я не нюхаю, — отвечает Тайлер.

— Я нашел пузырек с кокаином у тебя в тумбочке.

— Это старый. Я про него совсем забыл. Говорили про это сто раз.

— Неужели?

— Знаешь, это похоже на какое-то азиатское правосудие. Там, если тебя один раз признали виновным, ты остаешься виновным навсегда.

— Ты уверен, что правосудие в Азии устроено именно так?

— Понятия не имею, как оно устроено. Наверняка оно расистское, нет?

Тайлер садится возле Баррета на стул, обитый выгоревшим красным шелком; этот стул, изощренно неудобный, несмотря на вполне невинный вид, Баррет расположил по отношению к зеленому дерматиновому креслу точно так же, как он стоял в квартире.

— Я снова начал ходить в церковь, — говорит Баррет.

— Да?

— Разочароваться в Боге из-за смерти Бет, я подумал, было бы слишком... плоско, наверно.

— И как, помогает? В смысле, церковь.

— Трудно сказать. Я туда хожу.

— И ничего не происходит? — спрашивает Тайлер.

— Я бы не сказал, что ничего.

— Ты не молишься. Гимнов со всеми не поешь.

— Да. Просто сижу в заднем ряду.

— Но должен же ты что-то при этом *чувствовать*.

— Покой чувствую. Частичный покой. И все.

Тут не место и не время для тонких метафизических дискуссий, заключает Тайлер.

— Собираюсь поехать посмотреть новую квартиру, — говорит он.

— Я после работы заскочу. Ничего, если мы с Сэмом придем?

— Приходите.

— Точно можно?

— С чего ты взял вообще, что Сэм мне не нравится?

Тайлер достает из пачки еще сигарету и шарит в кармане джинсов в поисках зажигалки.

— Может, потому что он встал между нами?

— Бет же между нами не вставала.

— Я тоже был женат на Бет, — говорит Баррет.

Тайлер пытается прикурить от пачки леденцов, замечает это, сует пачку обратно в карман и наконец находит зажигалку.

— В таком случае я одновременно с тобой могу жениться на Сэме, идет?

Тайлер зажигает сигарету и глубоко затягивается. Он снова чувствует в легких тонкий кисло-сладкий и слегка вредоносный аромат. Выдохнув, следит, как облачко дыма растворяется в воздухе.

— Хотя нет. Я себя в такой роли не вижу. Извини.

Тайлер снова затягивается, снова наблюдает, как тает в воздухе дым.

— Меня прямо радует, что вся мебель у нас новая будет. Все время об этом думаю, — говорит Баррет.

— Я тоже.

— Ты точно уверен, что всю надо менять? А то еще не поздно что-нибудь оставить. О, гляди, кухонный стол пригодился.

Молодые парень с девушкой, оба в татуировках и с торчащими в разные стороны волосами, тащат кухонный стол.

— Спасибо, чуваки, — кричит парень через плечо.

Тайлер в ответ весело машет рукой.

— Мне и так хватает привидений, — говорит он Баррету.

Они смотрят, как кухонный стол удаляется в западном направлении. Баррет поет первую строчку песенки "Мы переезжаем..." из сериала "Джефферсоны"[1].

— А дальше я не помню.

— Из глубокой задницы в задницу помельче, — подсказывает Тайлер.

Кухонный стол вместе со своими новыми владельцами исчезает за углом.

— Старинный стол из французского деревенского дома, вот что нам нужно, — говорит Баррет. — Ты понимаешь, о чем я? Чтобы ему было лет сто. Чтобы он был длинный, весь в таких зарубках и выщербинах.

— Не забывай, у нас с деньгами не очень.

— Я помню. Но у нас же есть хитовый альбом...

— Ага, незаконченный альбом, который разойдется хорошо если в трех десятках экземпляров.

— Знаешь, если есть надежда, если хоть чуть-чуть радуешься тому, что у тебя могло бы выйти, тогда неважно, чем все кончится. Можно побыть оптимистом, даже видя, что ни черта не получается. Это я тебе как суеверный говорю.

---

1 Сериал про состоятельную афроамериканскую семью из Нью-Йорка, шел на канале *CBS* в 1975–1985 годах.

Тайлер на отвечает. Он бросает недокуренную сигарету и давит ее каблуком. В последний раз встает с самого недружелюбного стула на свете.

— Я так понимаю, на этом все, — говорит он.

— По-моему, тоже, — говорит Баррет. — Пойду поднимусь, посмотрю, вдруг что-нибудь забыли.

— Иди. Встретимся в *новом доме*.

— До скорого.

Но Тайлер никуда не уходит. Им обоим становится отчего-то неловко.

— Непривычно как-то, — говорит Тайлер.

— Переезжать всегда непривычно, разве нет?

— Ты прав.

Они смотрят друг другу в глаза, взглядами подбадривают один другого.

Неизвестно откуда взялось ощущение, будто они прощаются, слабый — не громче шепота — намек на расставание. Но это же ведь глупо? Вечером они снова увидятся. В своем новом доме.

— Пока, — говорит наконец Тайлер и трогается по Никербокер в сторону Морган-авеню.

Баррет медлит. Ему хочется продлить странное удовольствие — сидеть в зеленом кресле посреди все убывающих числом приношений, еще вчера служивших ему в повседневной жизни; смотреть, как предмет за предметом исчезает их квартира. Вот девушка с крашенными хной волосами уносит лампу — гавайскую танцовщицу. Удивительно, как долго она прослужила. На несколько мгновений Баррет представляет себе, как сидит и сидит в этом кресле, пока прохожие не разберут все остальное и он не останется совсем один перед этим горчичным фасадом, закрытым алюминиевым сайдингом, подобно разоренному русскому аристократу, который раздумывает о предстоящей ему жизни простого непривилегированного обывателя. Дача погружается в разруху и запустение, печи и камины бессильны против проникающей снаружи сырости, шелковые обои еле держатся на стенах вылинявшими бледно-алыми тряпками, потолок провис, а слуги так одряхлели, что помощи от них никакой, так как сами они уже мало на что способны без посторонней помощи. Но так или иначе, здесь прожита вся жизнь, а будущее, даже если оно обещает перемены к лучшему, все равно пахнет скорыми снегопадами и тяжелым стальным духом выметенных ветром железнодорожных платформ.

По пути к станции линии *L* Тайлер звонит Лиз. Она берет трубку. Теперь, оставшись в одиночестве, Лиз иногда отвечает на телефонные звонки. Раньше она предпочитала, чтобы звонящие наговаривали сообщения на голосовую почту.

— Привет, — говорит Тайлер.

— Квартиру уже освободили? — спрашивает Лиз.

— Подчистую. Баррет как раз проверяет, не забыли ли чего. А я на новую квартиру иду.

Он шагает по Морган-авеню. Прощайте, заборы из металлической сетки с колючей проволокой наверху. Прощай, старушкино окно с застывшим на подоконнике стеклянным беличьим семейством.

— Тебе не по себе? — спрашивает Лиз.

— Немножко. Не по себе затевать такое без Бет.

— Это я и имела в виду.

— Она против Бушвика особо не возражала.

— Да, забавно. Ей все равно было, в каком районе жить.

— Мы не могли бы там, на новой квартире, с тобой встретиться? — говорит Тайлер.

— Мне через сорок пять минут магазин открывать.

— Пусть Баррет откроет.

— Ты хочешь, чтобы я пришла?

— Хорошо бы. А то что-то совсем не хочется одному там оказаться.

— Раз так, приду.

— Спасибо тебе.

— Могу там быть минут через двадцать пять.

— Спасибо тебе, — повторяет Тайлер.

Тайлер сидит на ступеньках своего нового дома и курит, поджидая Лиз. Здравствуй, Авеню Си. Здравствуйте, новое, незнакомое кафе и расположившийся дверь в дверь подозрительный продуктовый магазинчик с полупустыми полками, похожий на прикрытие для торговли наркотиками. Здравствуй, юный пижон в красной куртке и с гламурным недоирокезом на голове, удачно тебе обойти трех пожилых женщин с пластиковыми пакетами из "Ки фуд" в руках, которые стеною тел перегородили тротуар и, на что-то жалуясь друг другу на иностранном языке (польском? украинском?), движутся по нему со скоростью парада в День труда.

Когда в квартале от него из-за угла появляется Лиз, Тайлер словно не сразу узнает ее и смотрит, как смотрел бы на любого незнакомого прохожего, свернувшего с Девятой улицы на Авеню Си.

Он видит просто высокую, крупную женщину, чем-то — тяжелая походка, широкие плечи — похожую на ковбоя. А еще темно-коричневая кожаная куртка, небрежно забранные в хвост седые волосы… Ее позвали специально — обломать полудикого жеребца, с которым никто, кроме нее, не сладит.

Потом Лиз снова становится собой.

— Привет, — говорит Тайлер.

Он бросает сигарету и встает со ступенек. Они быстренько обнимаются, полуформально, как бы по необходимости обозначая сочувствие и поддержку. Как на поминках, думает Тайлер.

— Давно ждешь? — спрашивает Лиз.

— Не-а. Несколько минут. Изучаю заодно ландшафт.

— Ну и как?

— Народу больше. Но отчаявшихся и чокнутых вроде поменьше.

— Отчаявшиеся и чокнутые есть везде. У тебя просто не было времени присмотреться.

Он открывает перед ней дверь подъезда. В холле пусто и темно, на потолке еле мерцает флуоресцентная лампа. Пахнет аммиаком и, менее явственно, древесным дымом.

Но так или иначе, он явно выигрывает в сравнении с мертвенно-желтым и убийственно ярко освещенным холлом в Бушвике.

На лифте (здесь есть лифт!) они поднимаются на четвертый этаж. Тайлер вставляет ключ в замок на двери, ведущей в квартиру 4Б. Ключ поворачивается легко. Дверь отворяется со звуком застарелого страдания.

Тайлер с Лиз оказываются в тесной прихожей.

— Здесь гораздо лучше, — говорит Лиз.

— С этим трудно спорить.

Тайлер с громким топотом (в призрачной тишине его ботинки неестественно грохочут) шагает по коричневому деревянному полу в гостиную. Лиз идет за ним.

Гостиная пуста, даже больше чем пуста. Предыдущие жильцы не оставили следов своего пребывания, никаких, даже едва уловимых. По бушвикской квартире сразу было видно, что люди живут в ней давно, что многие поколения обитателей по мере сил приспосабливали ее под свой вкус. Эта же старилась в своем первоначальном виде, только стены, когда-то, судя по всему, белые, приобрели со временем оттенок теста для оладий да кое-где на них остались дырки от гвоздей. С досок пола местами стерлась темная краска, но за восемьдесят лет или больше явно никто не пытался зачистить их, покрасить или покрыть лаком.

Посреди гостиной по-королевски величественно возвышается диван, перевезенный сюда вчера Двумя Парнями с Фургоном.

— Узнаю, — говорит Лиз.

— Я сказал Баррету, что хочу умереть на этом диване. Напомни ему об этом, ладно?

Тайлер садится на диван. Он похож на пса, радостно вернувшегося на свое место в углу кухни, в корзинку, застеленную одеялом, которое уже невозможно отчистить от его шерсти.

— Придумали, каким цветом стены покрасить? — спрашивает Лиз.

— Баррет настаивает на белом.

— С ним же можно договориться.

— У него пунктик: типа, если хоть одна стенка не будет белой, он не сможет спать по ночам.

Лиз снимает куртку, бросает ее на пол (больше ее здесь деть некуда) и садится к Тайлеру на диван.

— Ну вот, — говорит Тайлер. — Тут мы теперь и живем.

Он напевает "Мы переезжаем…" из "Джефферсонов".

— Как новая песня продвигается?

— Нормально… Нет, не знаю. Может, что-то… что-то из нее и получится.

Лиз пристально смотрит ему в глаза.

— То, что сейчас у вас происходит, — это же хорошо, — говорит она.

— Да, я знаю… Знаю.

— Но и странно тоже.

— Жутко жалко, что она не видит, как у меня что-то получается.

— Она знала, что рано или поздно у тебя все получится.

— Знаешь, что было совсем клево в Бет? То, что ей было без разницы.

— Про себя — да. Но за тебя она переживала.

— Н-да, верно. Тогда скажем так: хорошо бы она увидела, что мне повезло. Хорошо бы мне повезло.

— Повезет, — говорит Лиз.

— Я все песни писал для Бет.

— Знаю.

— А сейчас пишу только для… э-э… Да, а что еще прикажешь делать?

Тут у Тайлера внезапно перехватило дыхание, он не может сделать следующий вдох. Наклонившись вперед, он оперся локтями в колени и изо всех сил втягивает в себя неподатливый воздух.

— Тебе плохо? — спрашивает Лиз.

Тайлеру и говорить трудно. Лиз ждет, ей хватает благоразумия не тормошить его. Тайлер наконец со свистом вдыхает порцию воздуха, ее не хватает, чтобы целиком наполнить легкие, но и то хорошо, раз на большее нет сил.

Но выдавить из себя несколько слов у него все-таки получается.

— Без нее… когда… после того как Бет умерла, я стал писать лучше.

— Просто у тебя теперь наконец больше слушателей.

— Нет, это музыка стала лучше. И поэтому (дышать, дышать!)… больше людей стали ее слушать.

— А мне кажется, когда ты пережил такое…

Тайлеру каждый вдох по-прежнему дается с огромным трудом. Это паническая атака, говорит он себе. У меня паническая атака.

Надо дышать. Старайся.

— Не думай, душу дьяволу ты не продал.

Тайлеру удается вдохнуть. Сделать три четверти нормального вдоха. У него кружится голова, звенит в ушах.

— Нет, — говорит он. — Не продал.

Лиз гладит его по плечу, как будто успокаивает лошадь.

— Понимаешь, — с трудом выговаривает Тайлер, — дело в том, что мне как будто предложили такую сделку. И боюсь, я принял предложение.

— Не сочиняй.

— Мне кажется, что о песне для Бет я думал больше, чем о самой Бет.

— Неправда.

— А может, и правда.

Лиз кивает. Тайлер не знает больше никого, кто оставил бы без ответа эти его слова, — она молчит не потому, что согласна, а потому что ей слишком, во всех чувствительных подробностях, знакомы сюжеты человеческих страстей.

Тайлер наконец восстанавливает дыхание. Он словно парус, наполненный ветром. Пейзаж проносится мимо и назад, а он сам ничуть не похож на себя прежнего. Его песня — стенание, протяжный вой, первая вещь, в которой он использовал синтезаторы, потому что не мог довериться своему голосу, зазвучавшему вдруг чересчур лично, — эта его песня, с тягучим, опущенным на октаву ниже вокалом, лишь отдаленно, на уровне троюродного родства напоминающим то, как поет сам Тайлер, эта реплика капитана Ахава, бесстрастного и одержимого, — как там выразился тот блогер? — хладнокровно и намеренно обезумевшего, — получила без малого триста тысяч просмотров на *YouTube* (это Баррет придумал выложить ее), а затем, после того как вторая выложенная им песня (еще более гулкая, еще более по-оперному безутешная — не пытался ли он ею нейтрализовать успех, который ни с того ни сего свалился на первую?) была прослушана почти четыреста тысяч раз и расхвалена флотилией блогеров (кто все эти люди?), ему предложила контракт, пусть и довольно скромный, одна достойная звукозаписывающая компания из независимых, а это означало, что ему причитается аванс, которого хватит на квартиру получше, а еще означало возможность будущего, жизни не в невидимости. В безвестности (возможно), но не в полной невидимости. Наконец-то он достиг безвестности. Да, он боготворил Бет, чей прах приняли воды залива, — и да, он чувствует невероятную, несказанную свободу теперь, когда ее больше нет, когда нет желания утешить ее, предложить ей что-нибудь стоящее, тронуть и порадовать ее, девушку, которая раскатывала тесто для пирогов и коллекционировала найденные на улице игральные карты (она говорила, что у нее в жизни есть цель — собрать полную колоду), девушку, которой было хорошо почти везде, которая так мало требовала и владела столь малым.

Они поссорились тем новогодним вечером. Когда Бет вернулась с одинокой прогулки, они не занимались любовью, а потом прошло меньше недели — и с устрашающей внезапностью вернулись симптомы.

Тайлер умоляюще смотрит на Лиз. В глазах у него стоят слезы, дыхание все еще сбито.

Он подается к ней. Все происходит гораздо быстрее, чем обычно, нет даже мимолетного намека на ухаживание, попытку соблазнить. Вот он с беспомощной мольбой смотрит ей в лицо, а мгновение спустя приникает к ее губам, как будто это кислородная маска. Она не сопротивляется поцелую и сама целует его — не жадно, но и не застенчиво. Ее губы податливы, но сильны, она целует Тайлера не потому, что потеряла голову, но и не для того только, чтобы его не огорчать. Дыхание у нее чистое и пахнет травой, не каким-то определенным растением, а буйным зеленеющим лугом. Тайлер прижимается к ней, валит на спину. Дышит он опять свободно, как дышал всегда. Сначала через рубашку, а потом и под рубашкой он мнет ей грудь. Расстегивает рубашку и берет грудь в руку. Грудь в нее помещается целиком. Груди у Лиз такие маленькие, что совсем не обвисли, там просто нечему обвисать. Соски (малиновые, большие для такой маленькой груди) от его прикосновения твердеют. Она издает звук — скорее вздох, чем стон. Хватает его за голову, пальцы тонут в его волосах.

Тайлер становится на колени, спускает джинсы и трусы. У него стоит. Лиз сбрасывает ботинки, тоже стягивает джинсы и стринги, змеиными движениями опускает до щиколоток и, отбросив в сторону, обхватывает ногами бедра Тайлера. Прежде чем припасть к ней, Тайлер, совсем мельком, успевает увидеть аккуратную темную полоску волос на лобке и вызывающе розовые губы.

Обоим понятно, что действовать надо быстро. Член Тайлера легко входит в нее. Она вздыхает громче, но это все еще вздох, а не любовный стон, хотя и заканчивается на сей раз явственным придыханием. Тайлер внутри нее, ему горячо, она держит его сильной влажной хваткой, и — твою мать! — он чувствует, что сейчас кончит. Он останавливается, не выходя из нее, ложится сверху и лежит, прижавшись лицом к ее щеке (смотреть ей прямо в лицо он не может), пока она не говорит:

— Давай же.

— Ты уверена?

— Да.

Он осторожно совершает одно движение. Потом еще одно — и все, его понесло в зыбкое никуда. Несколько секунд он парит в мучительном совершенстве. Существует только оно, себя он не чувствует, он никто, он вычеркнут из жизни, Тайлера нет, есть только... Он с удивлением слышит собственный судорожный вдох.

И вот конец.

Он лежит ничком, уткнувшись ей в плечо. Она скромно целует его в висок, потом дает понять, что хочет встать. Он не спорит. Он скатывается с Лиз, прижимается к спинке дивана.

Она встает, быстро надевает стринги и джинсы, затем обувается. Они оба молчат. Лиз поднимает с пола куртку, одним движением натягивает на плечи. Тайлер лежит на диване и наблюдает за ней с выражением оторопелого, беспомощного любопытства. Закончив туалет, она склоняется над ним, словно по струнам, пробегает пальцами по его лицу и уходит. Тайлеру слышно, как она осторожно закрывает за собой дверь и, глухо грохоча ботинками, спускается по лестнице.

Девушка выбирает ожерелье уже почти полчаса. Стоит, склонившись над стеклом небогатой ювелирной витрины, сосредоточенная, как хирург.

За то время, что она выбирает, две женщины купили пару черных, с заклепками "конверсов" и винтажную футболку с Кортни Лав (Баррету даже жалко стало с ней расставаться). Мальчишке-подростку мать отказалась покупать раскрашенный из баллончика скейт. Мужчина (уже немолодой) в куртке "пилот" и шортах из обрезанных джинсов выразил озадаченное возмущение тем, что цены на темные очки начинаются с двухсот долларов.

Баррет не лезет к девушке с советами. В магазине у Лиз не принято стоят у покупателя над ду-

шой. Лиз в этом отношении строга. Ты приветству-
ешь нового покупателя, даешь понять, что готов
при необходимости прийти на помощь, и оставля-
ешь его в покое. Если, примерив вещь, покупатель
спрашивает, идет ли она, отвечать надо вежливо,
но честно. Никто не уходит из магазина с джинсами, слишком тесно обтягивающими задницу,
форму которой лучше бы не выпячивать, или с фут-
болкой, подчеркивающей болезненный цвет лица.
Уинн, которую взяли на место Бет, пришлось поначалу учить не быть слишком предупредительной
с покупателями.

Сейчас в магазине только Баррет и изучающая
ожерелья девушка. Баррет складывает футболки.
В свое время он с удивлением понял, что работа
продавца состоит по сути из непрерывного склады-
вания и перескладывания, от которого отвлекаешься,
только чтобы здороваться с покупателями и принимать от них деньги. Баррет научился находить в этом
занятии дзен-буддистское успокоение и даже повод
для гордости: любую футболку он может сложить
в идеальный квадрат меньше чем за десять секунд.

— Извините, что я так долго, — говорит девушка.

— Ничего, не торопитесь, — отвечает ей Баррет.

— Вы не посмотрите?

— Разумеется.

Баррет кладет на полку очередную безупречно сложенную футболку. Девушке лет двадцать, она высокая и хрупкая, выглядит не болезненной, но слишком бледной и нерешительной. Медно-рыжие волосы свободно свисают чуть ниже лопаток. В некрупных чертах веснушчатого лица — благоговение ангела кисти Фра Анжелико. В прежние годы, думает Баррет, на нее не обращали внимания, она была из тех девочек, над которыми в школе никто не издевается, но и не ухаживает, и теперь она еще не успела привыкнуть к вниманию, которым окружил ее взрослый мир, более падкий на красоту, когда та явлена в не самом обычном виде.

Баррет подходит к ювелирной витрине. На черном бархатном квадрате, который Баррет выдал ей с самого начала, она аккуратно разложила два ожерелья.

— Вот, остановилась на двух, — говорит она.

Одно ожерелье состоит из амулетов — серебряного Будды, турмалина, крошечной золотой подковы, второе — витой черный шелковый шнур, на котором подвешен неграненый алмаз, льдисто-сероватый, чуть крупнее фасолины.

— Если я скажу, что оба красивы, вам это, конечно, не слишком поможет, — говорит Баррет.

Девушка смеется, но потом внезапно умолкает, словно боится смехом оскорбить Баррета.

— Смешно, конечно, — говорит она. — Это же всего-навсего украшение.

— Да, но вам его носить, поэтому важно не ошибиться.

Она рассеянно кивает, рассматривая ожерелья.

— Если вам не подойдет то, которое вы купите, приходите, я поменяю его вам на другое, — говорит Баррет.

Девушка снова кивает.

— Я выхожу замуж, — говорит она.

Девушка поднимает на него взгляд. Глаза у нее стали темнее, влажнее и глубже.

— Вы ищете ожерелье, которое наденете на свадьбу?

— Ой, нет, что вы. На свадьбе я буду в белом платье и жемчугах его матери. — Помолчав, она добавляет: — Он из итальянской семьи.

То есть ее пугает неопределенность, она не знает, что произойдет, когда семья мужа заявит на нее свои права, как если бы она была стыдливой деревенской девушкой с маленьким приданым, которую выдают за сына феодала, переживающего не лучшие времена. Она воображает себя участницей шумных, вздорных трапез, во время которых мальчишки кидают объедки мастифам, а мужнина мать посредством язвительных взглядов выражает сомнения в ее способности родить здоровых наследников.

Девушка хочет выйти из магазина с ожерельем как с талисманом, с тем, про что сможет сказать: *я выбрала его сама, и жених мой тут ни при чем.* В ожерелье квинтэссенция ее самости, личного пространства, куда нельзя вторгаться.

— Ладно, давайте так: я закрою глаза и ткну пальцем в одно из двух. Выбор будет зависеть от того, обрадуетесь вы моему попаданию или пожалеете, что я не показал на другое.

Девушка робко улыбается.

— Давайте, — говорит она.

Баррет закрывает глаза. Его слепой выбор выпадает на ожерелье с талисманами.

— Ох, — вырывается у девушки.

— Вы хотели другое.

— Да, наверно, другое.

— Тогда берите его.

Она осторожно поднимает с бархата шелковый шнур с ледяным асимметричным алмазом. Надевает на шею, чуть повозившись, справляется с застежкой.

— Выглядит отлично, — говорит Баррет.

Девушка смотрится в маленькое овальное зеркало на ювелирной витрине. То, что она там видит, ей нравится.

— Красивое, — говорит она.

Баррету хочется сказать: "Не выходи за него". Сейчас ты его любишь, наверно, он восхитителен в постели, но понимаешь при этом, хотя и не можешь сформулировать даже для самой себя, что ты будешь незаконно присвоена, поселишься в мире, где тебе будут не рады, но ты все равно будешь благодарна ему за знаки внимания, потому что слишком недолго успела проходить в незамужних красотках. Потом благодарность сойдет на нет, но ты продолжишь ездить на воскресные обеды в Джерси, где тебя будут только терпеть, пока наконец он не встанет на сторону родных, не пожалеет, что пошел против их воли, не примется недоумевать, как его угораздило жениться на тебе, а не на остроумной итальянской девушке с большой грудью — не на той, кого присмотрела для него мать. Он — подданный своей матери, возможно, сейчас он тебя любит, но со временем он растеряет интерес к тебе и начнет составлять список твоих недостатков, печалиться и негодовать, перебирая в уме твои преступления, о которых ты даже не подозреваешь.

Но вместо всего этого Баррет говорит:

— Ага, красивое. Значит, выбор сделан?

— Да. Наконец. Спасибо вам за терпение.

— Ну так и выбор непростой. Наличные или карточка?

Из тонкого зеленого бумажника она достает "мастеркард". Он прокатывает карточку, она ставит подпись.

— Упаковать? — спрашивает Баррет.

— Нет, спасибо. Я прямо сейчас надену.

— Желаю удачи, — говорит он.

Она вопросительно смотрит на него.

— Так принято, — объясняет Баррет. — Жениха на свадьбе поздравляют, а невесте желают удачи.

— Я этого не знала.

Возникает пауза. На мгновение кажется, что это она и Баррет собираются пожениться.

— Спасибо, — говорит она и выходит из магазина.

Баррет снова принимается складывать футболки.

Лиз появляется на час позже, чем должна была. Она как будто сама не своя, но у Баррета нет версий того, что могло бы означать выражение лица, какого он раньше никогда у нее не видел. Хладнокровно-ошарашенное — единственное определение, какое приходит ему в голову.

— У тебя тут все в порядке? — спрашивает она.

— В полном, — отвечает он.

Лиз снимает куртку и идет повесить ее в подсобку. Вернувшись, становится за прилавок и принимается проверять ленту кассового аппарата, как могла бы считать ложечки после ужина старая дева, содержательница пансиона.

— А с тобой все в порядке? — спрашивает Баррет.

Она задумывается и отвечает не сразу.

— Я была на новой квартире. С Тайлером, — говорит она.

Баррет отходит поправить скейтборды, висящие на задней стене.

— Доски, наверно, больше заказывать не будем, — говорит Лиз.

— Мне они нравятся. И их покупают. Иногда.

— А мне в последнее время они кажутся... как за уши притянутыми, — говорит Лиз. — Как будто мы продаем их для того, чтобы выглядеть помоднее.

— Понял.

— А что касается Тайлера, то я не смогла с ним поговорить, поддержать его, как это сделал бы любой другой.

— Ты побыла с ним. А это-то ему и было нужнее всего.

— Я никогда не хотела стать одной из тех женщин, — говорит Лиз.

— Прости?

— Одной из тех женщин, которые умеют по-матерински утешить и что там еще.

— Нет, ты не такая. И это лишний повод тебя полюбить.

— В пятнадцать лет я побила отца, — говорит она.

— Правда?

— За то, что он руки распускал. Я тебе не рассказывала?

— Нет. Ты вообще о семье почти не говоришь. Ну да, про сестру ты в конце концов рассказала, но для этого понадобились Новый год, наркотики, чудеса…

— Ну, это был не тот случай, смертоубийство, туда-сюда, чтобы полицию звать, — говорит она. — Просто выходил из себя и лупил нас — мать, меня и сестру.

Лиз замолкает и продолжает только некоторое время спустя.

— Долгое время это казалось… не знаю… естественной составляющей нашей жизни. Одним из ее обстоятельств. Но как-то вечером сестра пришла домой очень поздно. Ей тогда тринадцать было. Она встречалась с парнем из колледжа. Для нее это было ужасно важно. Она всегда была скромной милой девочкой, а тут перешла в девятый класс и вдруг закрутила с невероятным красавцем. Короче, она поздно пришла домой, и отец взялся сначала за это, а потом стал обвинять, что они с этим парнем занимаются сексом. С этим, как отец выражался, уголовником.

— А они как? Занимались?

— Разумеется. Но она говорила отцу, что нет. А он ее все равно ударил.

— Ох.

— Ну, в этом как бы не было ничего необычного. Но тем вечером... не знаю. Сестра была так счастлива, она не сделала ничего плохого, в первый раз была влюблена, поэтому я не могла смотреть, как он ее за это наказывает.

— Может быть, в тринадцать правда рановато сексом заниматься, — говорит Баррет и тут же торопливо добавляет: — Но бить за это, конечно, никого нельзя.

— Тот парень, с которым сестра встречалась, не помню, как его звали, у них с сестрой не очень долго продолжалось, а через несколько лет он погиб, попал в железнодорожную катастрофу в Европе...

— Это уже другая история. Не отвлекайся.

— Хорошо. Так вот, я взяла совок, такой, который у камина держат, чтобы золу выгребать. Сама, наверно, не поняла, как за него схватилась. Я размахнулась и ударила им отца. Сбоку по голове.

— А этого делать не стоило?

— Я не так сильно ему попала. Я же ничего такого раньше не делала. Нет, я была забиякой, дралась в школе, но это были всего лишь девчачьи драки.

Я никогда ничего не брала в руки, чтобы этим кого-то ударить. Я совершенно не знала, как это делается. Поэтому я скорее рубанула его, а не ударила.

— И...

— Он уставился на меня. В полном обалдении. Типа, как будто высадку инопланетян увидел. А я подумала: натворила я дел.

— Поэтому ты...

— Еще раз ему врезала. На этот раз покрепче. И прямо по физиономии.

— Круто.

— Он упал. Не так упал, что на полу растянулся, а на колени рухнул. А я стояла над ним с этим совком в руке. Я сказала: "Попробуй только тронь кого-нибудь из нас, и я тебя убью". Так и сказала.

— А он?

— Вот это самое странное. Я была всего-то девочкой пятнадцати лет с хлипкой железякой в руках. Он легко мог меня свалить, мог убить. Но он ничего такого не сделал. Даже вставать не стал. Остался на коленях. И смотрел на меня таким ужасным взглядом. Я от него такого взгляда не ожидала, это был взгляд проигравшего. То есть получалось, что с самого начала достаточно было сказать ему "хватит", и он перестал бы нас бить.

— Ох.

— От удивления никто из нас не знал, что делать дальше. Мне начало казаться, что я выгляжу нелепо, стоя так с совком в руках. Героем я себя не чувствовала. А потом он встал и вышел из комнаты. Поднялся в их с мамой спальню, закрыл за собой дверь, и все. А утром вышел завтракать как ни в чем не бывало.

— А дальше что было?

— Он больше ни на кого из нас руку не поднимал. И, как ни странно, после того случая он, похоже, стал меня побаиваться и любить стал сильнее, чем раньше. Но главное, знаешь, я решила с тех пор: ни один мужчина меня больше не поимеет. Я наверняка и задолго до того так думала, но мне кажется, я тогда превратилась... в саму себя, в тот вечер, когда врезала отцу тем дурацким совком.

Баррет понимает, что совершенно необходимо что-то сказать, но слов не находит.

— Забавная штука, — говорит Лиз. — Сестра тоже после того случая начала меня немножко опасаться. Я думала, я ее выручаю. И я ее правда, можно сказать, выручила. Но ближе мы с ней от этого не стали. До того она не ожидала, что я могу причинить кому-то вред.

— А почему ты сейчас об этом обо всем вспомнила?

— Моя сестра больна шизофренией и сидит на таблетках, от которых стала заторможенной и толстой, она снова живет с родителями...

— Почему ты именно *сейчас* об этом говоришь?

— Потому что. Просто сегодня с Тайлером был один момент, он напомнил мне тот вечер. Когда я отца...

— Но ты же не ударила Тайлера.

— Наверно, я в жизни никого по-настоящему не любила, — говорит Лиз.

— Ни разу?

— Нет, ну я любила разных. Кого-то больше, кого-то меньше. Но есть один момент, я часто слышу, как о нем говорят, еще Бет об этом говорила, так вот, этого я в себе ни разу не чувствовала. Не испытывала этого самозабвения... не знаю, как лучше его назвать... клеточного обмена, когда вселяешься в другого человека и пускаешь его вселиться в себя. У меня не получается выразить это понятно...

— Нет, все в порядке. Я тебя понимаю.

— Ничего такого я никогда не испытывала. И не сказала бы, чтобы мне этого ощущения очень не хватало. До сегодняшнего дня. Забавно, но сегодня мне захотелось испытать все это с Тайлером.

— Вы же с ним не любовники.

— У меня не получалось его утешить. А я очень хотела, чтобы получилось. Ради него. Ради Бет. Мне, наверно, хотелось сделать то, что на моем месте сделала бы Бет.

— Бет была совсем другая, — говорит Баррет.

— Конечно, кто же спорит. Но, по-моему, сделать так, чтобы другому человеку стало лучше, — для этого большого таланта не нужно. Большинство справляется.

— Тайлер тебя любит. Уважает тебя. Ты наверняка помогла ему больше, чем тебе сейчас кажется.

— Знаешь что? Я сейчас больше не о Тайлере думаю, а о себе. Думаю об одной очень простой вещи, которой, боюсь, мне никогда не сделать.

— Ну так ты можешь кучу другого сделать.

Лиз снова принимается просматривать чеки.

— По дороге сюда мне пришла одна очень странная мысль. Я задумалась, засомневалась... Всегда я была уверена, что победила отца. Заставила его перестать нас бить. А сейчас, по пути, прямо в поезде подземки, мне стало казаться, что победил-то он. Победа заключалась в том, что он вынудил меня его ударить.

Оба некоторое время молчат. Баррет про себя благодарит покупателей, которые не заходят сейчас в магазин.

— Ты правда думаешь, что скейтборды не выглядят несколько кричаще? — говорит наконец Лиз.

— Да, по-моему, не выглядят. Может, для равновесия завести что-то посерьезнее? Что-нибудь вроде ну

прямо совсем дорогих кожаных курток? Не винтаж-
ных, а новых.

— Ты сможешь заняться магазином, справишься,
если я уеду на время? — спрашивает она.

— А ты куда собралась?

— Не знаю. Просто хочется отсюда уехать. На какое-то время.

— Как-то это слегка внезапно, нет?

— Слышал что-нибудь об Эндрю? — спрашивает она.

— Он мне звонил. Хочет зачем-то встретиться сегодня вечером в Центральном парке.

— Нормально.

— Скорее любопытно. Почему именно со мной?

— Ты ему нравишься, — говорит она.

— Да ему все более-менее нравятся.

— Может, тогда в тебе дело — в том, что он нравится *тебе*. Остальные-то его недолюбливали.

— Потому что считали, что он... не подходит. Тебе
не подходит.

— Он по-прежнему со Стеллой?

— Ага.

— Не смотри на меня так. Хорошо, что она подошла. Ему подошла.

— Она немножко... — начинает Баррет.

— Да, не семи пядей во лбу. Знаю. Она ткачиха, ты
это знал?

— Да нет, она девушка веселая. А так она вроде бы тренер по йоге и да, немножко ткачиха, в смысле, у нее правда есть ткацкий станок...

— Короче, все с ней в порядке, — говорит Лиз.

— В порядке. Знаешь, как она меня в тот раз насмешила? Сказала, что она медиум.

— И она обожает Эндрю. Его обязательно должен кто-то обожать.

— Почему вы так долго были вместе? Давно хотел тебя спросить, но все не решался. Боялся, что вопрос покажется грубым, что ты обидишься.

— Как тебе сказать, — говорит она. — Он был нужен мне рядом... ну, как бы для порядка. Он был сексуален, туповат и никогда не причинял мне неудобств, и при этом минус одна дополнительная забота в жизни.

— Не самая слабая мотивация.

— Другого я, наверно, заводить не буду.

— Э-э, другого — какого?

— Очередного глупого сексуального мальчика, который проторчит при мне до тех пор, пока не образумится и не сбежит с ровесницей. Думаю, я с этим покончила.

— Я, видимо, тоже.

— Ты любишь Сэма? — спрашивает она.

— Даже не знаю. Мы же всего несколько месяцев...

— Все ты знаешь. Слыхала я, у тебя с этим быстро ясность наступает.

— Я совсем не думал, что встречу человека, похожего на него.

Лиз кивает, как если бы получила известие — не плохое и не хорошее, — которого она давно дожидалась.

— Думаю, — говорит она, — хорошо бы мне ненадолго на Запад съездить. В Калифорнию, например.

— В Калифорнии здорово.

— Туда, наверно и поеду.

— Если хочешь, я займусь магазином.

— Ты теперь даже лучше меня справляешься.

— Неправда.

— Ты гораздо симпатичней и отзывчивей. О покупателях заботишься, помогаешь им. А я просто сижу и жду, чтобы они что-нибудь купили без того, чтобы я им на мозги капала.

— Чем думаешь в Калифорнии заняться? — спрашивает Баррет.

— Не знаю. Пока я придумала уехать. А дальше посмотрим.

— Ты про свет хоть иногда вспоминаешь?

— Про какой свет?

— Который мы с тобой видели. Там, в небе.

— Нет, не вспоминаю. А ты?

— Я — постоянно, — говорит Баррет.

— Но больше ты его не видел?

— Не видел.

— Дорогой мой, я тогда обкурилась, а ты... кто знает, что с тобой в тот момент было. Конечно, конечно, тебя бросил мудак номер семнадцать — отличный повод самолет, летящий за тучей, принять за бог знает что.

— А потом, Бет тогда стала поправляться...

Лиз смотрит на него с сочувственной уверенностью во взгляде.

— А потом она умерла.

— Но зато получила те несколько месяцев, разве нет?

— Да. Только мне не кажется, что к этому как-то причастен твой небесный свет.

— А я все жду... Жду чего-то, — говорит Баррет.

— И чего же ты ждешь?

— Нового знака. Продолжения.

— Знака того, что...

— Того, что существует что-то большее, чем мы. Понимаешь, большее, чем поиски любви, чем мысли про сегодняшний ужин, чем продажа ожерелья несчастной девочке, которая напрасно выходит замуж...

— Все хотят, чтобы это большее существовало, — говорит Лиз.

— А что если оно существует?

— Да, — говорит она. — Что если существует?

Она произносит это терпеливым тоном, словно устало утешает его. Разумеется, дорогуша, что если картинка с блошиного рынка окажется неизвестным Уинслоу Хомером, что если на этот раз выиграет номер, на который ты ставишь уже много лет?

Мгновение спустя в магазин входит пара — два парня с постпанковскими стрижками. Один говорит другому:

— Веселее, Нили, веселее.

Лиз здоровается с ними.

— Привет, привет, — отзывается один из парней, а другой весело хохочет, как будто его приятель остроумно пошутил.

— Скажите, если понадобится помощь, — говорит Лиз.

— Обязательно.

Парни принимаются изучать товар. Лиз снова берется за чеки. Баррет продолжает складывать футболки, хотя все уже давно сложил.

Уже почти три, это значит, что Лиз ушла больше четырех часов назад. Тайлер все это время пролежал на диване в окружении собственного переливчатого нимба, размышляя о Лиз и о музыке. Эта история с Лиз... Хм-м.

Когда они с ней начали заниматься сексом? С тех пор как Бет заболела? Или раньше? Они держали свои отношения в тайне, что вообще очень на них не похоже; обычно у них почти не было секретов, не по моральным соображениям, а потому что говорить правду всегда проще, она всегда готова к подаче, ее не надо модифицировать или приукрашивать.

А когда перестали? Должно быть, когда Бет поправилась, хотя у Тайлера есть ощущение — не воспоминание даже, а с трудом припоминаемое наваждение, — что они продолжали и потом. И помнятся ему скорее не занятия сексом, а чувство стыда; убежденность, что ближе к концу они с Лиз совершали нечто постыдное. Впрочем, все это время припомненный стыд не слишком его угнетал.

Ему было так одиноко и страшно, когда Бет слегла. А рядом оказалась Лиз, чуждая сантиментам настолько, что дальше некуда.

Тайлер предпочитает и всегда предпочитал не рассматривать чрезмерно серьезно возможность того, что привлекательным в глазах Лиз его делала некоторая приобретенная с годами корявость; то, что для Лиз он не-Эндрю — не юный олимпиец с бессмысленным выражением лица, не гость из параллельного измерения гормонокипящей молодости, не Ариэль, который скоро улетит чаровать других, а обычный мужчина, мистер Простота, мистер Благодарность.

Они с Лиз не то что посторонним не рассказывали о своих отношениях — и между собой не обсуждали. Они этим занимались, но как темы разговора их связи не существовало.

Он даже Баррету не сказал.

Смешно, но Баррет первый, скорее всего, стал бы возражать. Это Баррет почувствовал бы себя обманутым. Ведь это Баррет считает себя обойденным судьбой; тот, перед кем, как казалось (Баррету), в свое время открывалось море возможностей, главный герой, незаконнорожденный сын Гамлета и Оскара Уайльда; Баррет, за которым, когда он шествовал по школьным коридорам, развевался невидимый плащ из серебряных кольчужных звеньев; который обитал в гораздо более возвышенных сферах, чем его старший брат со своими косяками, гитарным фолком и футболом; Баррет, который не успел оглянуться (как это кажется Баррету) — и вот он уже шарит за диванными подушками в поисках завалявшейся мелочи, раздумывает, безопасно ли доедать обнаруженные в холодильнике древние объедки, и гадает, прислушиваясь к гудкам локомотивов, на этом поезде или на следующем прибудет к нему любовь.

Бет не была бы против того, что Тайлер спит с ее лучшей подругой. Она бы точно знала, что это значит, а чего не значит.

И тут непрошеным... хуже, чем непрошеным, чертовски обличительным... является предательское воспоминание, пронзительное и странное, как падающий в спальню снег...

Его мать (их с Барретом мать, об этом надо постараться помнить) сидит на открытой трибуне, в первом ряду, на ней экстравагантной формы солнечные очки и сложно повязанный шейный платок.

Отец куда-то отошел, за колой или принести плед, который матери, по ее словам, совсем не нужен.

Сделав первый в игре первый даун, Тайлер знает, что теперь надо подойти, встать перед матерью (триумфы у него случаются нечасто) и, как гладиатор, посвятить ей свой опущенный меч, как матадор — отрезанное бычье ухо. Он в шлеме и защитной амуниции, могучий и обезличенный, с полосками черной мази под глазами.

— Эй, мам.

Ему вдруг — на мгновение — становится приятно, что он неузнаваем: в футбольных доспехах он мог бы быть сыном любой из этих женщин. Но он выбирает именно эту мать: ее огромные серьги-кольца, ее шапку стриженых черных волос, могучий магнолиевый дух ее туалетной воды. Он чувствует себя так, будто не отдает сыновний долг, а по-рыцарски поклоняется даме.

Она, разумеется, тоже в костюме. Тайлер должен соответствовать роли. Она (по ее собственным словам) — "предстать в лучшем виде".

Она смотрит вниз с трибуны десятью футами выше задранного кверху лица Тайлера (которого почти не видно: рядом с черными заплатками глаза кажутся водянисто-серыми, над щитком, прикрывающим рот, едва выглядывает кончик носа). Рукой в кашемировом рукаве кокетливо обвила тусклосерые перила (понимает ли она, как предсказуемо выглядит, как манерно, как нарочито разодета она под какую-нибудь графиню фон Хопендорф, должна понимать, она слишком умна, у нее наверняка была какая-то тайная цель…). Она привстает, подается вперед, наклоняется к Тайлеру (в огнях стадиона бросается в глаза зернистый слой пудры, темно-розовой, цвета свежей пощечины) и говорит:

— Ты отлично играешь.

— Спасибо.

Она театрально оглядывается по сторонам, непрофессиональная актриса во второсортной пьесе, старательно изображая надежду отыскать взглядом кого-то, про кого публика знает, что он потерялся, исчез или умер.

— А где сегодня твой брат? — спрашивает она (ей приходится говорить очень громко, иначе ее не будет слышно).

Ради того чтобы усилить эффект, она снова всматривается в толпу, будто рассчитывая найти Баррета, более узнаваемого Баррета, который пришел с приятелями на футбол — посмотреть, как играет брат.

Тайлер мотает головой в шлеме. Мать вздыхает, словно хозяйка званого обеда, обнаружившая, что суп не удался, — вздох такой громкий, что его не заглушает даже шум стадиона. Тайлера в таких случаях удивляет, зачем она каждый раз так примитивно и поверхностно кого-то из себя изображает. Почему не замахнется наконец на что-нибудь более основательное и утонченное?

— Он на игры никогда не ходит, — говорит Тайлер.

— Никогда не ходит? Неужели?

— У него другие интересы.

— Вот смешной, да?

Для этой реплики трудно вообразить более неподходящий момент. К кому она обращена — к родителям Харрисберга, к чирлидерам и оркестрантам?

— Ну да, — отзывается Тайлер.

— Присматривай за ним, ладно?

— Угу.

— Мне очень не хотелось бы, чтобы он попал в беду.

— В какую беду?

Она умолкает, словно впервые задумавшись над этим конкретным вопросом.

— Не хочу, чтобы он превратился в чудака. Чтобы целыми днями просиживал в своей комнате и читал книжки.

— Все с ним в порядке, — говорит Тайлер. — В смысле, все будет в порядке.

— Хочется в это верить, — говорит она и с печальной полуулыбкой усаживается обратно на свое по-октябрьски холодное и неуютное зрительское место.

Приговор произнесен, и произносить его, конечно же, надо было с высокой трибуны. Баррет чудак. Его будут преследовать неудачи, поэтому он нуждается в заботе.

Тайлер бежит трусцой обратно на поле. Он понимает, что согласился на что-то. Но не может сообразить, на что именно. И тем не менее уже подозревает, что на него возложили нечто, что окажется ему не по силам.

Теперь, более двадцати лет спустя, остается вопрос: не слишком ли рьяно присматривал Тайлер за Барретом? Не обезоружил ли он Баррета перед жизнью тем, что всегда был понимающим старшим братом, не задавал вопросов и не осуждал?

Тайлер достает из кармана конвертик.

Упс, и тут снова тайны.

Это нужно ему сейчас, нужно для того, чтобы написать последнюю песню, но никто, ровным счетом никто этого бы теперь не одобрил — после того как у него снесло крышу (он бегал босой по Корнелия-стрит, бормоча проклятия), после долгих и болезненно-серьезных разговоров с психиатром в больнице (кто знал, что им окажется женщина с дурно покрашенными волосами и чуть прихрамывающая на одну ногу?), после курса реабилитации (который его уговорили пройти Баррет и Лиз), после таких всеобъемлющих перемен в его жизни.

Нет, это не рецидив. Не настоящий рецидив. Этот порошок ему не нравится, совсем не нравится. Ему невероятно нравился кокаин, но то был неправильный выбор. Кокаином он насильно заставлял себя бодрствовать. И как это ему раньше не приходило в голову, что музыка родом из царства снов? Музыка — это знакомая всем причудливость сновидений, в которых мальчик, дитя лесов, танцует на тропинке, вьющейся меж древних деревьев, и ты понимаешь, что он поет высоким, чистым и не вполне человеческим голосом, не долетающим до тебя оттуда, где он исполняет свой игриво-неуклюжий инфернальный танец. Вся штука в том, чтобы не проснуться прежде, чем начнешь слышать эту музыку.

Тайлер наконец — постепенно — пришел к пониманию того, что неверно представлял себе, как сочинять песни. Его ошибочное представление было из тех, что глубоко внедряются в мозг, и ты, приспосабливаясь жить с этим представлением, и мысли не допускаешь о том, что оно может быть ложным. И почему только он понял это лишь сейчас, а не годы назад? Вместо того чтобы пытаться поймать музыку, ее надо впускать в себя. А он корчил из себя мачо, все старался одолеть, побороть песни, словно неуклюжий безоружный охотник, который упорно ловит птицу на лету голыми руками, тогда как, не имея ни стрел, ни копья, стоит просто дождаться, пока птица куда-нибудь сядет.

Героин ему подходит лучше. Героин помогает больше вместить в себя. С героином Тайлер слышит звуки: последние стоны Бет; приглушенный гул своих собственных горестей и самобичеваний; еще более приглушенный гул от вращения Земли; невыкрикнутый крик, навеки застрявший у Тайлера (или вообще у всех?) в горле, скорбный вопль, не означающий ничего, кроме жажды большего, жажды меньшего, невозможной чуждости всего на свете.

Не бойся наступающих времен. Просто будь готов к их наступлению. Будь готов жить с бездушным и изворотливым старым президентом, с вице-президентом, который думает, что Африка — это такая страна, который охотится на волков с вертолета.

С героином Тайлер сумеет это принять. И даже подумать о том, чтобы положить на музыку.

Проблема в том, чтобы остановиться у грани забвения, не переступив ее. Впустить темное нечто в комнату, но так, чтобы оно осталось там, подальше, у противоположной стены; заставить его, с рассованным по карманам сном, со спокойным и сострадательным взглядом, постоять и подождать; так рассчитать дозу, чтобы увидеть желанную, укутанную в плащ фигуру, но не подпустить к себе, оградиться от насаждаемой ею тьмы; чтобы слышать не-прошеные звуки — больничные стоны и несущиеся издалека крики жестоких побед, — позволить им отравлять воздух, но не дать свести себя с ума. Сло-вом, сделать все так, чтобы потом не бегать босиком по Корнелия-стрит.

Тайлер втягивает порошок одной, а потом дру-гой ноздрей (никаких шприцев, он не собирается са-диться на иглу) и, как ему кажется, через мгновение вскакивает на ноги. Забавно. И даже немного смешно. Он лежал себе на диване, а теперь глядь — и стоит. Стоит посреди пустой комнаты, где, судя по всему, живет. В голове у него смутно звучит музыка, испол-няемая на чем-то вроде фагота; звучит скорее не мело-дия, а голый ритм, но Тайлер может наложить на него мелодию — или нет, не мелодию (дурацкое слово)… а пение, григорианское (или похожее), он его тоже слышит, этот рокот негромких голосов, торопливо-созерцательный, подобно молитвам розария, кото-рые читают быстро, но при этом бесконечно бережно и внимательно; а затем… затем вступает что-то сереб-ристое, что-то парящее, голос, напоминающий клар-нет, поющий на неизвестном языке; поющий (мы по-чему-то понимаем о чем) о надежде и опустошении так, как будто они одно и то же; как будто в этом языке есть только одно слово для этих двух состояний;

как будто надежда подразумевает разрушение, а разрушение — надежду с такой неизбежностью, что одного имени для них более чем достаточно.

А потом он, открыв окно, сидит на карнизе.

Внизу, между его свешенных ног, — Авеню Си, до нее четыре этажа. Там женщина в цветастом платье тащит на поводке старого ризеншнауцера. И другая женщина, в фиолетовом платье (они сестры?), копается в мусорном баке. А еще там внизу тротуар цвета слоновой кожи в темных пятнышках давно выплюнутой жвачки. Чуть заметный ветерок, чистый и прохладный, задувает ему снизу в джинсы.

Он мог бы сейчас соскользнуть с карниза. Ведь мог бы? Ему кажется, это будет похоже на то, как если бы он соскользнул в бассейн с водой. Вот он лишается опоры, и уже поздно гадать, холодная вода или нет. А затем ногами вниз входит в воду.

Он сидит на карнизе, смотрит вниз, а в голове у него играет музыка. Похоже, ему удается приблизиться к поющему в лесу мальчику; настолько, чтобы слышать в ожившем воздухе отзвуки его голоса; настолько, чтобы начать различать, что это все-таки не мальчик, что он не совсем человек и что у него что-то странное с лицом.

Непроницаемо темная теперь, когда солнце почти скрылось за горизонтом, вода залива тут и там вспыхивает в последнем золотисто-оранжевом свете дня, от которого уже не делается светлее; в свете, словно бы состарившемся, словно льющемся из прошлого более ярким потоком, чем позволяет память, но все равно неизбежно приглушенным минувшими десятилетиями. Громадное грузовое судно, гигантскую черно-коричневую плавучую платформу (на нее запросто сел бы двухмоторный самолет) эти последние лучи облили горящей медью. Оно как будто сделано из какого-то полудрагоценного металла; приземленно драгоценного металла, — думает Баррет, стоя на корме парома, такого, которого жаждут промышленники, а не короли.

Их мать убило молнией на поле для гольфа. Что привело ее к такому трагикомическому концу? Баррет и Тайлер без конца об этом разговаривали. Почему сильная и умная женщина, которая непредсказуемо бывала то великодушна, то недоступна в зависимости от времени суток (ему до сих пор трудно представить человека, который был бы настолько понятен себе и непонятен всем остальным); та, что свято верила в хороший покрой, пользовалась кораллово-красной губной помадой, повелительно флиртовала с курьерами службы доставки и охотно (охотнее, чем хотелось бы Баррету) делилась своими огорчениями (они живут слишком далеко от города, старинное жемчужное ожерелье украла горничная в отеле — а куда бы еще оно могло деться?) и сожалением о том, что ради замужества бросила колледж Брин-Мор (кто тогда мог знать, что из Нью-Йорка они переедут в Филадельфию, а из Филадельфии — в Харрисберг?); умевшая так зачитаться, что забывала про обед... Почему ей была уготована такая смерть — несчастный случай из дурацкого анекдота? Как так получилось, что Бетти Фергюсон, ее партнерше по гольфу, которую она недолюбливала ("Бетти из тех дамочек, что убеждены, будто туфли и сумочка должны быть одного цвета", "Бетти из тех дамочек, что с годами выглядят все более мужеподобно"), позволили встать на поминках и сообщить во всеуслышание, что их мать в тот роковой день прошла пятипарную лунку в два удара?

Баррет с Тайлером не просто сироты, они с самого детства герои какого-то страшного розыгрыша, игрушки в руках некоего божества, которому больше по нраву шутки, чем очищающий гнев.

Перед Барретом раскинулось покрытое рябью, темное пространство воды, так мирно принявшей прах Бет.

В воде кроется глаз. Из-за него Баррет и мотается туда-сюда на пароме.

От того небесного света глаз в воде отличается тем, что Баррет ни разу его не видел. Но он знает, что глаз есть. Уверен, что во время одиноких поездок на Статен-Айленд и обратно его... созерцают. Сказать "за ним наблюдают" был бы неправильно. "Наблюдение" подразумевало бы парачеловеческий интерес, которого Баррет не ощущает со стороны неспокойных, избороженных судами вод. Но в первый вечер, когда они развеивали прах Бет, он чувствовал этот интерес. Бет растворилась в воде не в каком-то там дурацком смысле, типа, *теперь ее дух обитает здесь* (чистая хрень), нет, ее бренные останки (пылесос оприходовал бы их за десять секунд) соединились с огромным знающим разумом; Баррет уверен (он сходит с ума или наоборот?), уверен сейчас и был уверен в тот вечер, что мироздание не одушевлено, но способно знать, что Бет теперь часть чего-то слишком величественного и неохватного, чтобы иметь мысли и на что-то отвечать, но по-своему тем не менее наделенного сознанием.

Это бред. Скорее всего, бред. Но с тех пор, как они развеяли прах Бет, Баррет снова и снова возвращается в залив, как к бездушному, бесчеловечному родителю, у которого нет в отношении детей ни планов, ни надежд, который и не гордится, и не разочарован ими. Его неотступно преследует ощущение, будто глаз в воде, всегда невидимый и никуда не девающийся, не радуется его появлениям и не огорчается ими, но замечает, что Баррет опять здесь.

Тайлер ведь нашел им мать, да? Эту мысль Баррету удается обдумывать только на пароме. Может, да, а может, и нет. Вокруг этого слишком много наверчено. Но Бет была так непохожа на остальных подруг Тайлера. У них с Тайлером началось приблизительно тогда же, когда его собственная жизнь стала… нет, не *разваливаться на куски*, это слишком мелодраматично звучит (Баррет, не путай себя с персонажем фильма категории Б или героем Достоевского)…

слегка расползаться, терять цельность — настолько, что он вынужден был переехать к Тайлеру.

Переехать к Тайлеру с Бет. Со спокойной и доброй Бет, изо дня в день одной и той же. С Бет, которая на кухне в новогоднюю ночь сказала Баррету с Тайлером, что им следует знать, как в доме гасят свет, знать, что придет время, когда вопросы добра и зла не будут ничего значить.

Допустима ли возможность, пусть самая отдаленная, того, что подлинной жизненной целью Баррета было отстоять свое место Тайлерова младшего брата?

Суденышки борются с течением, а их постоянно сносит обратно в прошлое[1]. Да пошел ты, Фрэнсис Скотт Фитцджеральд!

Скажи это. Самому себе скажи. Когда Бет поправилась, ты был уверен, что знаешь — подозревал, что знаешь, — что хотел сообщить тебе небесный свет: что тебе удалось воссоздать ваше с Тайлером детство, и на сей раз эта женщина избежит внимания божественного любителя розыгрышей.

А это подразумевает, что свет солгал. И что вода говорит правду.

---

1   Заключительная фраза из романа "Великий Гэтсби".

Через час, когда Баррет уже вернулся из поездки на Статен-Айленд и обратно, Сэм ждет его в условленном месте, у фонтана Бетезда в Центральном парке. Баррет смотрит на него с балюстрады, которая футов на тридцать возвышается над площадкой с фонтаном. Сэм сидит на кромке фонтана под ангелом — под крестьянской девушкой в образе ангела; крепко сложенная и пышущая здоровьем, завороженно-приземленная, со своего бронзового диска, с которого путаной пряжей стекают струйки воды, она, вместо того чтобы обратить исступленный взор к небесам, деловито смотрит вниз, простирая перед собой одну руку и сжимая в другой копье из лилий.

Баррет медлит на балюстраде над фонтаном. Ему оттуда виден Сэм, но Сэм не видит его. Он не может упустить случая понаблюдать за Сэмом, когда тот наедине с собой, за Сэмом, который не подозревает, что Баррет рядом, и потому не меняет своего поведения (если он вообще когда-либо это делает) ради него.

Сэм сидит основательно, ноги твердо стоят на плитке площадки, руки на коленках — словно отдыхает от тяжелой работы, чтобы вернуться к ней после краткого, предписанного профсоюзом перерыва. У человека передышка. На нем его любимые джинсы мастерового и серая вельветовая куртка "Кархартт", подаренная Барретом ему на день рождения неделю назад; Сэму куртка нравится больше, чем Баррету (разве это не знак любви, когда даришь человеку то, что ему нравится больше, чем тебе самому?). Сэм всегда одевается с пролетарской скромностью, смутно желая, чтобы его принимали за строительного рабочего, тогда как в действительности он преподает в Принстоне английскую и американскую литературу девятнадцатого века.

Сэм ведет себя так, будто явился с другой планеты, где совсем другие представления о прекрасном, и потому он слывет подлинным красавцем. На родине Сэма ценятся непропорционально большая голова, серые, как можно шире посаженные глаза, слабый намек на нос (отчего голова кажется еще больше), широкий лошадиный рот и тяжелая челюсть, тоже лошадиная — настолько, что хочется протянуть ему кусок сахара, чтобы он с любопытством его обнюхал, а потом съел, нежно кольнув ладонь растущей на морде щетиной.

Никто еще не называл Сэма красивым, но он идет по жизни настолько уверенно и без сожалений, что почти каждый, кто с ним знаком, так или иначе отмечает его поразительную сексуальность.

Они с Барретом познакомились всего пять месяцев назад в корейском магазинчике на нижнем

Бродвее, у холодильника, вместо стеклянной дверцы печально занавешенного широкими полосками прозрачного пластика, которые вызывают в воображении образ нищей захолустной больницы, где не хватает лекарств, где все, что можно сделать для умирающих больных, — это оградить их от мух.

Первым, о чем заговорили Баррет с Сэмом, были сравнительные достоинства коки и пепси.

В один прекрасный вторник идешь ты вечером домой и вдруг решаешь заглянуть в магазинчик, где ты никогда прежде не был, чтобы купить кока-колы. Во вторник, в шесть тридцать две вечера. В магазине у холодильника ты видишь крупного мужчину, и, поскольку он тебе никто и тебе все равно, что он может о тебе подумать, ты естественно и непринужденно (для этого не нужно храбрости) спрашиваешь его: "Кока или пепси?" Нет ничего удивительного в том, что мужчина поворачивается взглянуть на тебя, задумчиво улыбается, как будто ты задал серьезный вопрос, и говорит: "Пепси. И думать нечего. Кока — это "Битлз", а пепси — "Роллинг стоунз"".

И лишь отчасти удивительно взглянуть в глубину его славных серых глаз, увидеть в них безропотную усталость и представить — заведомо зная, что ничего такого не будет, — представить, как он положил голову тебе на колени, а ты сидишь, перебираешь его (вызывающе немытые) волосы цвета пушечной бронзы и приговариваешь: отдохни, забудь на минуту обо всем.

Сэм не во вкусе Баррета (хотя до их встречи Баррет утверждал, что никакого такого "вкуса" у него нет). Сэм не молод и не жизнерадостен по-щенячьи, он не широкоплечий борец и вообще не из тех, кого бы захотел написать Икинс.

Любовь приходит не только без предупреждения, но так нечаянно, так наобум, что начинаешь недоумевать, почему еще кто-то хоть сколько-нибудь верит в причинно-следственную связь.

Баррет замирает на балюстраде, не отрывая глаз от Сэма. Когда же, размышляет Баррет, и этот пошлет меня куда подальше и-мейлом или эсэмэской? Или он просто перестанет отвечать на звонки? Такая теперь у Баррета традиция. Уже никогда не бывает по-другому.

У Баррета возникает мысль — появляется и в тот же миг исчезает — развернуться и уйти из парка; стать на сей раз тем, кто исчезает, кто оставляет в растерянности, кто ничего не объясняет, кто даже не лезет в драку, лишая тебя на прощание и такого сомнительного удовлетворения; кто просто отчаливает, потому что (похоже), несмотря на взаимную приязнь и секс, вы в принципе можете друг без друга обойтись; потому что крючочки не цепляются за петельки; потому что нет связующих уз, непрестанного поклонения, мольбы о милосердии — зачем молить, когда так легко даровать милосердие самому себе. Баррету интересно, каково это — быть другим, мужчиной, который решил, что с него хватит, которому удается улизнуть, прежде чем начнется хаос, прежде чем на него посыплются обвинения и упреки, прежде чем с него станут требовать ответа о том, Когда, Зачем и С Кем.

Бет получила пять с лишним дополнительных месяцев. Нежданно-негаданно. Три месяца и четыре дня, пока болезнь не вернулась, она считалась совершенно здоровой, и Баррет до сих пор жалеет (у него, как он считает, вполне достаточно поводов для сожаления), что она так быстро и тяжело тогда снова заболела, что ему так и не удалось выбрать подходящий момент, чтобы спросить, испытывает ли она благодарность за полученную отсрочку.

Она наверняка была за нее благодарна. Баррету хочется в это верить. Разве она сама довольно ясно не сказала об этом в новогоднюю ночь? Пусть даже не произнося слова "благодарность", разве она не дала им с Тайлером понять, что рада вот так праздновать с ними со всеми, но осознает (сейчас, оглядываясь назад, действительно кажется, что осознавала), что она вроде призрака, которому из-за како-го-то сбоя в системе позволено явиться среди живых в телесном облике, что должно быть — разве нет? — чрезвычайно приятно. Но какая тут радость, если, когда рак вернулся, она почувствовала себя дважды преданной, жестоко обманутой, подло кинутой.

Сэм, по всей видимости, тоже рано или поздно уйдет от него. Ведь до сих пор все уходили. Но, с другой стороны, времени-то так мало. Баррет расправляет плечи и идет к лестнице, ведущей к площадке с фонтаном, туда, где бесконечно терпеливо стоит ангел и где ждет его Сэм.

Закрыв магазин, Лиз понимает, что не может сейчас идти прямо домой. Объяснение, что, мол, немолодая женщина страшится снова оказаться в своей пустой квартире, было бы в ее случае слишком пошлым, слишком ходульным — к чему этот пафос, — и тем не менее, вместо того чтобы идти домой, она отправляется бродить по Уильямсбергу в один из последних теплых ноябрьских вечеров. Бары и рестораны на Дриггс-авеню заполнены под завязку, а у дверей на тротуарах еще толпятся жаждущие, чьи имена есть в списках, ждут, пока их пустят внутрь, курят и смеются. И всем здесь двадцать четыре года.

Здесь край молодых, и это должно бы угнетать Лиз, но, проходя незамеченной по Дриггс, она сознает — сегодня даже яснее, чем всегда, — сколь скоротечна молодость обитателей этого края, сколь мимолетен этот их вечер, как скоро они, едва их дети сделают первые шаги по гостиной, станут ностальгически вспоминать *те вечера в Уильямсберге*. Может быть, именно благополучие и богатые посулы юности, несомненное обилие дарований... нет, не погубят их, а приручат, одомашнят, заставят прийти в себя. Они (во всяком случае большинство из них, насколько может судить Лиз) не больно-то претендуют на исключительность — для этого слишком охотно они перебрались в Уильямсберг, чересчур радостно обрядились в его одежды. Глупо и бестактно было бы поносить их, проходя невидимкой мимо; было бы подло не попытаться внушить им телепатически свою надежду, что им удастся найти изящное жизненное решение в тот день, когда начнут натягиваться отношения в семье (нашему маленькому скоро два, и нам теперь нужна квартира побольше), в тот год, когда они почувствуют себя симпатичными оригиналами — все еще дизайнеры и звукооператоры, хорошо узнаваемые, уже не одиночки, выпадающие из любой классификации, но часть (сюрпри-из!) стареющей популяции, обновленная (хипстерская) версия сорокалетних, еще щеголяющих кое-какими панковскими реликвиями, и пятидесятилетних (это ты, Лиз), которые так и работают ковбойшами-пота-скухами в магазине секонд-хенда.

Домой идти пока не получается. Но и слоняться по Уильямсбергу больше невозможно.

Она сворачивает на Пятую улицу и идет по направлению к Уильямсбергскому мосту.

Она, разумеется, знает, куда идет. Странно, что она не принимала никакого решения. Она просто идет туда, как будто это неизбежно, как будто больше некуда.

В эти первые вечерние часы Авеню Си выглядит чуть более несуразной кузиной Дриггс. Здесь тоже людно, модные бары и кафе есть тоже, но их меньше — Лиз проходит целый квартал, и ей попадается по пути только маленький, залитый флуоресцентным светом продуктовый, готовящие на вынос китайцы, прачечная-автомат (последняя загрузка в 21:00), салон тату (в этот час ни одного клиента), веломастерская, уже опустившая на ночь жалюзи, и пустующее помещение бывшего зоомагазина ("Канарейки и другие певчие птицы", серебряными буквами написано на витрине); молодежь в здешних барах и кафе (в основном старшекурсники, приехавшие провести вечерок в модном квартале) похожа на отпрысков не самых влиятельных аристократических семейств — симпатичные, расслабленные, сытые дети, одетые стильно, но без маскарада; не ожидающие и не обещающие сюрпризов. Парень в псевдозаношенном блейзере (Ральф Лорен, Лиз его ни с кем не спутает) высовывается из дверей закусочной и кричит приятелям, которые курят снаружи: "Еще один забили".

Лиз подходит наконец к нужному дому с плоским кирпичным фасадом цвета дубленой кожи и звонит в квартиру 4Б. На звонок никто не отвечает. Она снова жмет кнопку.

Тот же результат. Что ж, хотя бы избежала унижения. Сейчас она поймает такси и поедет домой.

Но, сделав шаг от подъезда, она слышит голос Тайлера — откуда-то сверху.

— Эй.

На мгновение ей чудится немыслимое: Тайлер обращается к ней с небес, он умер и теперь парит над земной гладью…

Она задирает голову. Тайлер стоит на карнизе четвертого этажа, полуразличимый за лучами уличного фонаря, словно скульптура в нише церковной стены.

— Какого хрена ты туда залез? — кричит Лиз.

Тайлер не отвечает. Он с милостивым терпением смотрит вниз — на нее и на не слишком плотный в этот час трафик на Авеню Си.

— Давай слезай, — кричит Лиз.

Тайлер несколько секунд колеблется, будто стыдится своего доверия к Лиз.

— Я не собираюсь прыгать.

— Еще бы собирался! Слезай и иди открой мне.

Тайлер смотрит на нее с выражением жалостливого сострадания, какое она помнит у одного ангела — должно быть, каменного, виденного девочкой в церкви.

— Прямо сейчас слезай.

Медленно, явно нехотя, Тайлер спускается с карниза в комнату. Немного погодя жужжит домофон, и Лиз ныряет в подъезд.

Дверь в квартиру не заперта. За дверью темно. Тайлера Лиз обнаруживает там же, где оставила много часов назад. Он как ни в чем не бывало в непринужденной отдыхающей позе лежит на диване. Лиз едва сдерживается, чтобы не отвесить ему со всего размаху хорошую пощечину.

— Ты что это удумал? — спрашивает она.

— Извини, если напугал, — отвечает он.

— Что ты там делал?

— Ну как сказать? Хотелось выйти наружу, но чтобы не упасть на тротуар.

— Ты точно не собирался прыгать?

— Нет. Точно. В смысле, я думал о том, чтобы прыгнуть. *Думал*. Но не *собирался*. Есть же разница?

— Есть, наверно.

Как такое возможно, что она с ним согласна?

— Мы уже тысячу лет с тобой трахаемся, — говорит он.

— Да.

— И никому об этом ни слова не сказали. Вообще ни слова.

— Об этом я тоже знаю.

— Тебе это не кажется странным?

— Как сказать? Наверно, кажется.

— Мы скрывались от Бет. И от Эндрю.

— По-твоему, прямо-таки скрывались?

— Не знаю, — говорит он. — Эндрю — он был бы против?

— Нет. Или так: даже если бы что-то его напрягало, быть против он бы себе не позволил. Быть против... Эндрю себя другим представлял.

— Скучаешь по нему? — спрашивает Тайлер.

— Нет.

— А тебе это не странно?

— Ну да, кое-чего мне теперь правда не хватает. В основном такого, честно говоря, о чем особо и не расскажешь. Сам понимаешь, двадцать восемь лет, в постели... Ладно, не будем. Зато с наркотиками охолонула немного.

— Он любил свою дурь, да? Но ведь и ты тоже.

— Ну, мне нравилось иногда понюхать вечерком. А Эндрю... ему это было гораздо нужнее.

— Так бывает.

— А кто, — говорит она, — как ты думаешь, все последние месяцы кокс покупал?

— Догадываюсь кто.

— Дело даже не в деньгах. Просто с какого-то момента я почувствовала... Знаешь, отстегивать двадцатки дилеру своего неприлично молодого любовника — лучше бы не знать, что это такое. Ты уж мне поверь.

— А я и верю, — говорит он.

— Бет тоже не стала бы возражать. Если бы мне показалось, что ей не понравится, я бы к тебе и близко не подошла.

— Но ты же ей все равно не рассказывала.

— Не из-за тебя, — говорит она.

— Не из-за меня, а потому что...

— Потому что не хотела ей лишний раз напоминать, что она умирает, что кому-то придется ее заменить. В том или ином смысле.

Тайлер меняется в лице, но остается при этом неподвижным.

— То есть вот что ты делала? — говорит он. — Брала на себя часть ее обязанностей?

— Если честно, да. Поначалу.

— Заменяла мне подружку, которая выдохлась?

— Сначала. Потом все стало по-другому.

— Мне сорок семь. И я выгляжу ровно на свой возраст.

— Мне пятьдесят шесть. Ты для меня действительно несколько молод.

— В детстве я был красавчиком. Просто уродился таким. А теперь, знаешь, очень тяжело. Тяжело, когда на тебя больше никто не засматривается.

— Я засматриваюсь.

— Ты не в счет. Я имею в виду посторонних. Тех, кто может выбирать, смотреть на меня или нет.

— Мне гораздо важнее, — говорит она, — что ты так заботился о Бет.

— На моем месте любой так же заботился бы.

— У тебя и опыта-то не было.

— А мне как-то казалось, что был.

— Ты не отшатнулся. Я видела. При тебе ее пожирала смерть, и не один раз, а два, и ты крепко ее держал. Для тебя она была все та же.

— Ну, просто… А что, кто-то мог бы по-другому?

— Запросто. И многие. А я сюда, между прочим, пешком пришла.

— Из Уильямсберга?

— Ага. Пешком через мост топала.

— Зачем?

— А ты зачем залез на карниз?

— Я первый тебя спросил.

— Мне вдруг вступило дойти до тебя. Тебе — выйти из квартиры, но так, чтобы не на улицу. К обоим желание пришло одновременно. Чувствуешь логику?

— Наверно. Хотя нет. Не очень.

— Мне уйти?

— Нет, — говорит он. — Может, ляжешь, полежишь тут со мной немножко? Я до тебя не дотронусь.

— Дотрагивайся на здоровье.

— Здесь темно.

— У вас что, и лампочек не осталось? Вы действительно *всё* роздали?

— Остался диван. И телевизор.

— Единственные вещи, без которых тебе не обойтись.

— Тут так хорошо. Давай полежим.

— Давай.

От фонарей в парке расходятся болезненно-бледные круги, одну пирамидку света от другой отделяют области несгустившейся беспокойной темноты.

— Надеюсь, это не до ночи? — спрашивает у Баррета Сэм.

Баррет по пути то и дело смотрит на небо. Он ничего не может с собой поделать, во всяком случае, когда оказывается в Центральном парке. В небе, как всегда, все как обычно.

— Нет, — говорит он. — Я бы ни за что не обрек тебя на вечер в обществе Эндрю и Стеллы. Но тут просто так вышло, что он позвонил.

— Центральный парк с самого начала был предназначен для богатых. Ты об этом знал? — говорит Сэм.

— Что-то такое слышал.

— В середине девятнадцатого века планировали будущую застройку Нью-Йорка. Тогда в этих местах были только леса и фермы.

— Да-да, про это я знаю.

— Мнения отцов города разделились. Одни хотели устроить все по примеру Лондона, разбить тут и там много небольших парков. Но победила другая партия, которая хотела гигантский парк, расположенный за много миль от мест, где жили бедняки. Фредерику Лоу Олмстеду[1] было велено не проектировать ничего, что любит простой народ, — ни парадного плаца, ни площадок для игры в мяч.

— Надо же, — говорит Баррет.

— Представь себе, как в окру́ге взлетели цены на недвижимость. И получилось, что бедным достался даунтаун, а богатым — аптаун. Что и требовалось доказать.

— Что и требовалось доказать.

— Тебе не надоело? — спрашивает Сэм. — Я не слишком занудствую?

— Нет, — отвечает Баррет. — Я тоже, можно сказать, зануда.

---

1 *Фредерик Лоу Омстед* (1822–1903) — американский ландшафтный архитектор.

На ходу он тайком смотрит на Сэма долгим пристальным взглядом. В профиль лицо Сэма выглядит суровее, чем анфас, и лучше отвечает общепринятым критериям красоты. Нос кажется заметнее, а купол лба более эффектным архитектурным изгибом стыкуется с непокорными вихрами. Если смотреть сбоку, Сэм отдаленно напоминает Бетховена.

Вроде бы у японцев есть для этого специальное слово — *ма.* Оно означает (существует ли оно на самом деле, или Баррет выдумал его и облагородил посредством азиатской эстетики?) то, чего не увидишь с одной точки; то, что меняется по мере движения наблюдателя. Ма есть у зданий. У садов. И у Сэма.

— Что ты сказал? — говорит Сэм.

— Ничего.

Сэм смеется. Природа снабдила его глубоким музыкальным смехом — так звучат деревянные духовые, когда настраиваются перед началом концерта.

Эндрю и Стелла ждут их на Земляничной поляне. Тесно прижавшись друг к дружке, они сидят на скамейке у круглой мозаики. Они похожи на нищих молодых путешественников, не отчаявшихся и не сломленных (пока), но уже ощутивших первую усталость от странствий; как раз вошедших в ту пору, когда, пусть и едва заметно, в душах начинает сгущаться беспомощность; еще не одержимых желанием обрести цель пути, но с недавних пор задумывающихся о ней и пораженных этим — они-то надеялись конец проскочить, навеки остаться скитальцами, которым хватает для счастья выпросить мелочи у прохожих, поживиться в мусорных баках и изредка с комфортом переночевать в зале ожидания какого-нибудь автовокзала.

Эндрю и Стелла сейчас как двое юных любовников, которые только-только — к их грустному изумлению — начали осознавать, что материнские звонки (*детка, уже поздно, пора домой*) перестали быть досадной помехой, какой всегда до сих пор были; что вместо упрека·они — чего обоим меньше всего на свете хотелось — слышат в них любовь и нежность; что материнские голоса, материнская тревога обретают непреодолимую силу притяжения.

Эндрю со Стеллой о чем-то негромко, но увлеченно разговаривали и не заметили, как подошли Баррет и Сэм.

— Привет, — окликает их Баррет.

Эндрю оглядывается и во весь рот улыбается Баррету.

— Привет, привет, — говорит он.

Что такое, Эндрю постарел? Нет, этого не может быть.

Баррет виделся с ним несколько месяцев назад. Лицом он по-прежнему мраморное изваяние из музея. Но какая-то перемена все-таки намечается. Не теплится ли под безупречной кожей пока еще не видная глазу гниль? Не обещает ли раньше срока сделать из Эндрю развалину? Или это просто так кажется в потемках?

Стелла понимающе улыбается Баррету, словно с трудом сдерживая смех. Она могла бы быть дочерью мечтательной юной богини, умудрившейся каким-то образом понести от сокола. В ней много птичьего — не умильного, а резкого и порывистого. В ее миниатюрном сложении, в молочно-бледных тонких руках и длинной гибкой шее — выверенная молниеносность хищника. Она маленькая, но никак не хрупкая.

Эндрю вскакивает на ноги и в своей обычной манере победителя на высоте плеча протягивает Баррету раскрытую ладонь; Баррет ее пожимает. Точно так же он протягивает руку Сэму, с которым однажды случайно виделся на Орчард-стрит.

— Здравствуй, Эндрю, — говорит Сэм.

Стелла остается сидеть. Баррет подходит к ней, на что она явно и рассчитывала.

— Привет, Стелла, — говорит он.

Она пронзает его своим соколиным взглядом. В нем нет угрозы — ну или почти что нет, — Баррет для нее не добыча. Но при этом она дает понять, что смотрит на него и вообще на все со своей огромной высоты, откуда тень кролика ей видна так же ясно, как люди видят огни приближающегося поезда.

— Привет, Баррет, — говорит она.

Звонкий, по-девичьи нагловатый голос плохо сочетается с ее обликом. Из тела хищной птицы к нему обращается девушка, по-видимому, довольно простодушная и незлая. Кто знает, какая она на самом деле?

На правах хозяина этой таинственной вечеринки для своих Эндрю говорит:

— Спасибо, ребята, что пришли.

— Прекрасный вечер, — говорит Баррет. — И один из последних. Слышите глухой рокот? Это зима. Она всего в миле от нас.

— Ага, точно, — говорит Эндрю.

Мысли Баррета занимает Сэм, который стоит молча и, скорее всего, недоумевает, что он тут делает и как его сюда занесло.

— Что ж, — говорит Баррет. — Может быть, пойдем куда-нибудь, выпьем?

— Мы по барам не ходим, — отзывается Стелла.

— Как знаете, — говорит Баррет. — А хотите, мы с Сэмом сходим купим бутылочку вина.

— Мы не пьем, — говорит Стелла.

— И кстати, правильно. Пить вредно. Вот я, например, пью — и посмотрите, во что превратилась моя жизнь.

Стелла вперилась в него внимательным хищным взглядом, как если бы он говорил на полном серьезе. Похоже, что, как и Эндрю, она не понимает ни шуток, ни иронии — в местности, откуда она родом, этот язык не в ходу.

Баррет взглядом обещает Сэму вытащить его отсюда, как только это будет в человеческих силах.

Не обращаясь к Баррету, а скорее просто в его направлении, Стелла произносит негромко:

— Ты увидишь нечто чудесное.

Баррет оборачивается к ней. Он ощущает сейчас зыбкость ее материальной природы — заключается она не в утонченности и хрупкости, а в том, что Стелла чуть-чуть просвечивает, как будто плоть ее состоит из материи более податливой, более уязвимой для ссадин и шрамов, чем у большинства людей; как будто она недостаточно тщательно представила в уме свое физическое обличье.

— Ты о чем? — спрашивает Баррет.

С тем же многозначительно-полурассеянным лицом, тем же тихим гипнотическим голосом заклинателя Стелла говорит:

— Ты увидишь нечто чудесное. Скоро.

— И что же это, по-твоему, такое будет? — спрашивает Баррет.

Она качает головой.

— Понятия не имею. Просто я немного медиум.

На этих словах она выходит… нет, не из транса, ничем подобным тут и не пахнет; она выходит из оцепенения, с которым взирала на пустоту у себя перед носом.

Они же под кайфом, оба, и она, и Эндрю. Как Баррет этого сразу не заметил? Казалось бы, жизнь с Тайлером должна была его кое-чему научить.

— Великолепно, — говорит он. — Буду ждать с нетерпением.

Тут вступает Эндрю, как заскучавший муж на званом ужине, которому невмоготу стало слушать женский щебет, и поэтому он решил с дружелюбным напором перевести разговор на сравнение чешуйчатой и гонтовой кровли или на исключительные достоинства приобретенного им музыкального центра.

— Да, между прочим, — говорит он. — Я тут хотел тебе одну вещь сказать. А по телефону не хотелось.

— Что за вещь? — спрашивает Баррет.

— И еще подумал, если встречаться для этого, то в Центральном парке, а не где-нибудь там еще.

— Прекрасно. Я тебя слушаю.

Эндрю бросает взгляд на Стеллу и Сэма, подозрительный и в то же время заговорщицкий, мол,

не волнуйся, с этими людьми все в порядке, этим лю-
дям можно доверять.

— Я видел свет. Ну, тот, про который ты мне рассказывал, — говорит он Баррету.

Баррет не понимает, что на это отвечать. Он снова
смотрит на Сэма. Сэм понятия не имеет, о каком
свете идет речь. Он как будто очутился в компании
иностранцев, говорящих на неизвестном ему языке,
и ему остается только стоять молча с добродушной
полуулыбкой на как бы что-то понимающем лице.

— Вчера вечером, — говорит Эндрю, — я шел домой. По Ютика-авеню, ну ты знаешь. Мы в Краун-
Хайтс сейчас живем.

— В огромной квартире, — с горделивым вызовом
добавляет Стелла. — С нами куча людей живет. Хо-
роших людей.

Она как будто расписывает добродетельные
достоинства — простоту нравов, глубокую чело-
вечность отношений — маленькой, никому в мире
не интересной страны.

— Короче, я посмотрел вверх, — говорит Эндрю. — Как будто кто-то мне велел посмотреть вверх.
И там был он.

— Свет, — говорит Баррет.

— Он… это самое… мерцал, — говорит Эндрю. —
Прямо над головой. Такая кучка звезд. Но ниже,

чем звезды. И зеленый такой. Ближе сюда, к Земле, в смысле. Ближе звезд.

— Ты действительно его видел, — говорит Баррет.

— Видел, видел, — говорит Стелла. *Моему парню надо верить.*

— Вот это я и хотел тебе рассказать, — говорит Эндрю. — Что я тоже его видел. Ну и понятно, где еще об этом рассказать, как не тут, в парке.

— Это... просто потрясающе.

— Жутко красиво было.

— Ага.

Баррет с удивлением замечает, что весь дрожит. Может ли то, что говорит Эндрю, быть правдой? Да, может. Исключать этого нельзя. Разве не Эндрю первому он рассказал про свет? Разве не действовал он тогда по наитию? Баррет всегда списывал тот момент откровенности на вожделение и кокаин. Но вдруг он знал, отчего-то догадывался, что Эндрю, прекрасному простаку Эндрю, единственному из его знакомых хватит... невинности, чтобы ему поверить? И чтобы самому увидеть свет?

Была еще, конечно, Лиз, но она упорно утверждала и утверждает до сих пор, что им обоим все это помстилось.

Новая реальность, лучше прежней, начинает вступать в свои права. Оказывается, есть на Земле малое сообщество простых людей (а ведь Бог всегда благосклонен к простым людям?), открытых видениям.

Что если Баррета (и Эндрю, и даже, возможно, циничную Лиз) со дня на день ждет откровение; что если они одними из первых узнают, что их творец снова ради них явился в мир?

Все может быть. Ничто в данный момент не указывает на то, что этого быть не может.

Баррету удается унять дрожание в голосе.

— Итак, говоришь, кучка звезд?

— Ну да. Таких... скорее, бирюзовых.

— А ты при этом... почувствовал что-нибудь?

— Почувствовал, что на меня Бог смотрит. Вроде как изучает.

Да. Вот оно.

Трое паломников, которым подмигивают небеса...

Баррет с трудом, запинаясь, выговаривает:

— Узнаю. То есть да, я тоже это чувствовал. Этот... изучающий взгляд. Нацеленный на меня.

— Однозначно.

— Просто... просто поразительно.

— Однозначно поразительно.

Какое-то время все молчат. Баррет старается не забывать про Сэма, бедного Сэма, который стоит в стороне и недоумевает, *какого черта*, но Сэм все поймет, ему придется понять, Баррет все ему объяснит. Баррет не сошел с ума и не бредит. Необъятный и доселе не дававший о себе знать отец решил наконец показать детям, что их видит и за ними приглядывает, что они не заблудились навсегда в лесной чаще...

— И да, слушай, — говорит Эндрю. — Я тут хотел тебя кое о чем попросить.

— Конечно. Проси о чем хочешь.

Эндрю улыбается своей безупречной улыбкой, ничуть не натужной и не искусственной; это в чистом виде обворожительная мужская улыбка.

— У меня проблемка образовалась. Небольшая такая проблемка.

— И какая же?

— В общем, с деньгами.

— А-а.

Ничего, кроме "а-а", у Баррета произнести не получается; озадаченная досада — единственная эмоция, какую ему удается вложить в этот односложный выдох.

Эндрю перестает улыбаться. В том, как легко и быстро улыбка сходит у него с мигом потемневшего лица, чудится что-то тревожное, словно уже начинают проглядывать первые симптомы затаившейся хвори — обозначается слабый намек на сыпь, кашель становится глубже и влажнее, чем обычно.

— Я должен денег одному человеку, — говорит Эндрю.

— Ясно.

Баррет ждет, ничего другого ему сейчас не остается. Близится нечто грозное, вот-вот накатит приливная волна — это понятно Баррету по тому, как в только что прозрачной воде у кромки летнего пляжа поднимается зеленая муть.

— Занесло меня немного, — говорит Эндрю. — Сам знаешь, как бывает.

— Знаю.

— Этот самый человек — он долг с меня требует. Чтобы деньги отдал.

Есть какой-то человек, которому Эндрю задолжал денег. Это человек хочет получить долг скорее раньше, чем позже.

— Понимаю, — говорит Баррет.

— Ну то есть я и хотел спросить — не подкинешь несколько баксов?

— Не подкину ли я несколько баксов.

— Мы же оба свет этот видели.

Баррет не находит слов. Он не успел пока подготовиться к новому откровению — к антиоткровению. Его хотят надуть. Эндрю ничего такого не видел. Ему просто срочно понадобились деньги. Зная, как легко Баррет поддается на обман, как свято верит

в бывшее ему видение и какой властью он над Барретом обладает (почему некоторые воображают,
будто красивые дети не догадываются о своей власти
над окружающими?), Эндрю решил, что с Баррета
без труда можно получить взнос в Фонд Видевших
Свет.

Стелла выступила его подручной. Он подучил
ее: подкинь этому типу "прозрение" медиума, чтобы
он потом поверил, что видели-то все одно, но, увы,
порознь.

— Мы же друзья? — говорит Эндрю. — А я оказался на мели, и мне, типа, нужна помощь друга.

Баррет будто со стороны слышит собственные
слова:

— У меня нет денег. Я, собственно, практически
ничего не зарабатываю. Я работаю у Лиз в магазине.

— Не, постой, — говорит он. — Я мно-
го-то и не прошу. Мне просто позарез надо, непонятно, что ли?

— Все мне понятно, — отвечает Баррет. — Но помочь тебе я ничем не могу.

— Я видел свет. Мне небеса священные подмигнули. А это же для нас тобой не просто так...

— На самом деле ты ничего не видел.

— Ты что, не понял, я же сказал...

— Сколько тебе нужно? — спрашивает Сэм.

В кафе навязчиво светло. Тайлер обеими руками держит свою кружку кофе. Лиз заказала маленький чайник чаю, но так к нему и не притронулась.

— Не поверишь, но я ни разу не был в Калифорнии, — говорит Тайлер.

— Много кто ни разу не был в Калифорнии.

Это кафе на одном из не самых оживленных отрезков Авеню Си явно пользуется популярностью среди людей, у которых что-то не ладится в жизни. Женщина с ослепительно-оранжевыми волосами громче, чем это необходимо, спрашивает про суп дня. Двое мужчин в темных очках спорят, есть ли разница между цементом и бетоном или это одно и то же.

— Там есть городок Кастровилль, — говорит Тайлер. — Артишоковая столица мира.

— Ради нее, по-твоему, и стоит в Калифорнию ехать?

— Нет. Но это так… по-калифорнийски.

— Наверно.

— В Кастровилле каждый год проводят фестиваль артишоков. С парадом. И с выборами королевы. На коронацию ее одевают в платье из артишоковых листьев. И знаешь, кого там однажды выбрали королевой? Мерилин Монро.

— Откуда ты все это знаешь?

— Я новостной наркоман.

— Это было в новостях?

— Возможно, на выборы мы будем в Калифорнии, — говорит он.

— Да.

— Может так сложиться, что мы попадем на фестиваль артишоков и как раз будем смотреть, как шествует по узким улочкам девушка в платье из артишоковых листьев, когда объявят, что победили Маккейн с Пейлин.

— Слишком многое для этого должно совпасть.

— Ну да. Просто мне кажется, в этом будет такой извращенный кайф — узнать о том, что страна решила полностью и окончательно скатиться в тартарары, наблюдая, как машет зевакам симпатичная девица в артишоковом платье.

— Ты прямо как помешанный.

— Что, извини? Нет, "помешанный" — это про странные увлечения. Одержимые заводят семнадцать кошек. Одержимые собирают все видеоигры, вышедшие с начала семидесятых. А меня интересуют судьбы мира. Ты находишь это ненормальным?

— Если хочешь со мной в Калифорнию, тебе придется завязать с наркотиками, — говорит Лиз.

— Я не принимаю наркотиков.

Вместо того чтобы спорить, ей хватает посмотреть ему в глаза.

— Думаешь, ты все знаешь? — говорит Тайлер.

— Нет. Я просто обычно предполагаю худшее, и это иногда выглядит так, будто я все знаю.

В соседнем отсеке один из мужчин в темных очках вещает:

— В цементе выше содержание песка. Поэтому постройки в отсталых странах и рушатся то и дело. Потому что там используют цемент.

Опустив взгляд на свой кофе, Тайлер говорит:

— Я завязал. Честное слово.

— Врешь.

— Не вру.

— Хорошо, если так.

Она, разумеется, знает, что он врет.

— Когда я принимал наркотики, — говорит Тайлер, — я делал это, чтобы пробиться к музыке. В неизмененном состоянии мозг с этим не справлялся.

— Ты понимаешь, что эти слова с головой выдают в тебе наркомана? — спрашивает Лиз.

— Да. Понимаю. Теперь, трезвым взглядом, все яснее видно.

— Ну, это общее место, распространенная среди населения мысль.

— Дело в том... На наркотиках... Кажется, будто ищешь путь к месту, откуда берется музыка, — говорит Тайлер.

Один из мужчин в темных очках, не тот, что в прошлый раз, говорит:

— С ума сошел? Это просто два разных слова для одного и того же.

— Очень знакомо, — говорит Лиз. — Я, к примеру, с помощью наркотиков пыталась почувствовать себя ближе к Эндрю.

— Тоже мне, сравнила. Я про то, как написать стоящую песню, а ты — как скоротать вечер с парнем, которому, чтобы правую руку от левой отличить, целую минуту соображать надо.

— Согласна, плохой пример. Просто имей в виду: если ты станешь принимать наркотики, я отнесусь к этому с пониманием. Буду просить, чтобы бросил, но пойму.

Тайлер кивает, словно согласен со старинным трюизмом, про который он знает, что это ложь.

Еще будет время сказать Лиз правду.

— И тем не менее я всё, — говорит Тайлер, немного помолчав. — Завязал. С концами. Отныне я с музыкой один на один.

— А вдруг это не так важно? — говорит Лиз.

— Прости, не понял?

— Вдруг ты живешь не для того, чтобы писать песни?

— Мне, если честно, такой ход мысли не нравится.

— Я не о том, чтобы музыку тоже бросить. Я вот о чем: что если ты проживаешь жизнь, в которой музыка — только часть?

— Отступи, сатана, — говорит Тайлер.

Лиз смеется. Она много чего знает, и поэтому ей смешно.

Женщина с оранжевыми волосами громко объявляет официантке, что попробует заказать капустный суп, который, впрочем, может ей не понравиться, и тогда она вынуждена будет отослать его обратно на кухню.

— Тебе не кажется, что ты хотел сочинить музыку, которая спасет Бет? — спрашивает Лиз.

— Это уже была бы мания величия.

— Или у тебя зародилась трогательная надежда, что ты сумеешь сделать для другого что-то, что выше человеческих сил.

Мужчина в темных очках, первый из двоих, говорит:

— Ну и зачем одно и то же называть двумя разными словами? Смысла в этом никакого.

— У меня тут в последнее время одна мысль появилась, — говорит Тайлер.

— Да?

— Собственно, даже не мысль. Я ее даже для самого себя не сформулировал. Такая недооформившаяся молекула мысли.

— То есть рано пока...

— Нет, рискну.

— Внимательно тебя слушаю.

— Я все никак не пойму, — говорит Тайлер. — Может, сочинять песни мне важнее, чем чтобы они у меня получались?

— Я тебя понимаю.

— Правда?

— Кажется, да.

— Больше всего мне нравится, наверно, предвкушение. Замысел песни. А потом, когда она готова...

— И с ютьюбовским хитом — то же?

— Даже с ним. Он как бы отделился и теперь сам по себе... Как артефакт какой-нибудь исчезнувшей цивилизации — что он есть, что нет его, какая разница.

— А песня-то, кстати, хорошая, — говорит Лиз. — Это так, к твоему сведению.

Оранжевоволосая женщина сообщает, ни к кому конкретно не обращаясь, что от капусты ее иногда пучит.

— Какая, собственно, разница? — говорит Тайлер. — У меня альбом еще не доделан. Одну песню закончить надо.

— А может, да ну его, этот альбом.

— У меня контракт.

— Кому он, на хрен, уперся, этот контракт?

Он кивает. И правда, кому?

— В Калифорнии секвойи растут, — говорит она.

— Слыхал об этом.

— Там прибой бьется о прибрежные скалы, а в небе кружат орлы.

— Да-да, я видел фотографии.

— И в Кастровилль нам никто не мешает съездить, — говорит она. — Раз уж обязательно хочешь посмотреть на девушку в платье из артишоков.

— Я не могу ехать, — говорит Тайлер. — В ближайшее время не могу. Мне надо закончить альбом.

Он кладет руку на стол ладонью вниз. Она внимательно разглядывает его кисть.

— Ну, раз надо, тогда да, — говорит она. — Можешь попозже ко мне в Калифорнию приехать. Если захочешь.

— И тогда мы отправимся в Кастровилль. На фестиваль артишоков.

— Запросто. Только надо уточнить, когда он бывает.

— "Гугл" нам в руки, — говорит он.

— Приеду в Калифорнию, — говорит она, — сразу сообщу, где меня искать.

— Хорошо. Мне это будет приятно знать.

Лиз накрывает рукой его кисть. Подошедшая официантка с вечным сварливым радушием спрашивает, уходят ли они уже или хотят еще кофе и чаю.

На Большой лужайке Баррет спрашивает Сэма:

— Зачем ты дал Эндрю денег?

— Мне показалось, они ему нужны, — отвечает Сэм. — А деньги у меня есть. Немного, конечно, но достаточно, чтобы дать дурачку, которого грозится прикончить торговец наркотиками.

— Ты серьезно думаешь, его могли прикончить?

— Могли прикончить, а могли и нет. Это ведь неважно, правда?

— Как это — неважно?

— Человеку нужна небольшая сумма. Ты этой суммой располагаешь. Отчего бы тебе ему не помочь?

— Даже если он тебя обманывает? — спрашивает Баррет.

— Я думаю, более-менее каждому, кто просит денег, они на самом деле очень нужны. Пусть и не на то, на что он их у тебя просит. И все же.

— Ты прямо как христианин рассуждаешь.

— Просто по-человечески. Нет, христиане тоже пусть так рассуждают. Но только чтобы не говорили, будто эта мысль принадлежит им.

— Им много что принадлежит, — говорит Баррет.

— Одной только недвижимости столько, что с ума сойти... Черт, я снова занудствую.

— Как нам обоим известно, мне нравятся зануды. Я знаю толк в занудстве. И вообще я сам зануда.

Импульсивно, по-детски, Баррет вцепляется Сэму в рукав пиджака. Так дети показывают, что они здесь.

Возможно ли, что Сэм и вправду добр и щедр? Что доброта и щедрость его не напускные, не сиюминутные? Если так, то вдруг это и есть то главное, на что можно опереться, та веревка, за которую можно надежно ухватиться, чтобы идти рука об руку к цели, пока еще слишком далекой и оттого невидимой?

Они идут по Большой лужайке. Впереди знакомо светлеет прямоугольная известняковая громада "Метрополитен". Как и всякий раз, приближаясь к музею, Баррет думает о том, что хранится в его стенах, — об исчерпывающем собрании свидетельств тех мгновений, когда вдохновение заставляет людей делать больше, чем им под силу от природы, — вдыхать жизнь в беспробудно неодушевленные холст и краски, вычеканивать на золоте реликвариев исступленные и исстрадавшиеся лица святых размером с десятицентовую монетку.

Впереди место, где Баррет увидел свет. Они с Сэмом пройдут, видимо, более или менее через тот пятачок, на котором тогда замер Баррет.

Вполне может быть, что Лиз права. Может быть, никакого света действительно не было, а была всего лишь зрительная галлюцинация, порожденная удачным взаиморасположением в небе самолета и созвездия, галлюцинация, вымышленная Барретом тем вечером, когда ему особенно важно было почувствовать, что он не так одинок в этом мире.

Или, возможно, свет смотрел на музей, отдавая должное дремлющим там ночным чудесам, а Баррету просто показалось, будто взгляд обращен на него, — как бывает, когда радостно машешь и улыбаешься в ответ незнакомцу, который улыбнулся и помахал рукой не тебе, а кому-то у тебя за спиной.

А может, небесный свет был очередной шуткой Бога, и Баррету, наверно, не стоило на нее попадаться.

— Не хочешь поподробнее рассказать про свет с неба? — говорит Сэм.

— С ним совсем непонятная история, — отвечает Баррет.

— Мне всегда нравились непонятные истории.

— Правда? Ты правда любишь непонятные истории?

— По-моему, чем непонятнее, тем лучше.

— Это же здорово, — говорит Баррет.

Баррету странно в первый раз на своей памяти оказаться не тем, кто старается — пожалуй, даже немного слишком назойливо — обаять; кто судорожно выуживает из памяти интересные случаи (а потом переживает, оттого что случаи эти кажутся ему как-то уж больно нарочито "интересными"); кто и так и этак пытается посвятить другого в обстоятельства своей жизни, вынимая по ходу дела из рукава букет роз. Сейчас он не только страстно желает, чтобы его поцеловали, — он и сам внушает другому это страстное желание.

Кока или пепси? Что может быть банальнее этого шутливого вопроса, заданного человеку, до которого тебе в тот момент нет ровным счетом никого дела? Кто мог представить, что ответ будет таким длинным, таким непростым?

Баррет некоторое время медлит, прежде чем начать рассказ. Сэм на ходу поглядывает на него. Взгляд у Сэма добрый и умный, а сейчас еще и чуть-чуть напряженный. В конце концов, ему посулили рассказать непонятную историю, и, хотя он сам же утверждал, что любит их (с другой стороны, что еще он мог сказать в этой ситуации?), Сэм, видимо, насторожился. Кто знает, какие непонятные истории рассказывали ему другие мужчины? И насколько сам он пуглив? Насколько мучителен его личный опыт разрывов и исчезновений, опыт пережитых историй, непонятных ровно в той мере, чтобы оказаться невыносимыми?

Баррет смотрит Сэму в глаза. Они молчат, но это молчание полно жизни; в тишине молекулы воздуха между ними словно бы подвижнее, беспокойнее обычного, как будто их подстегивают невидимые разряды, подгоняет едва слышное гудение. Баррету кажется, будто он несет в себе мощный заряд, будто его внутренний рубильник переведен в положение "включено"; будто он распространяет вокруг себя жар и испускает приглушенный и тем не менее явственный, слегка лихорадочный свет.

В памяти у него всплывают сказанные Стеллой слова: *ты увидишь нечто чудесное*. А вдруг она на самом деле немного медиум, а никакая не мошенница; вдруг она правда что-то почувствовала; вдруг она говорила о будущем, а не о прошлом; вдруг Баррету действительно предстоит увидеть нечто чудесное, явление, чья природа останется для него загадкой?

Он берет себя в руки, сосредотачивается и готовится попробовать еще раз. Снова начать все это — лелеять заранее обреченные мечты; с дурацким оптимизмом устремляться к новой прекрасной жизни. Все его внимание принадлежит теперь малознакомому пока мужчине, который идет рядом и чего-то ждет. Баррет поклясться готов, что различает на лице Сэма выражение озадаченного, тревожно предвкушаемого узнавания, как будто тот дает понять, что отныне ему абсолютно важно все, так или иначе связанное с Барретом. На небо Баррет не смотрит.

Тайлер один на диване в квартире, просторно-гулкой и пустой (если не считать слепо светящегося серым телевизора) (через считаные дни этот глянцевый прямоугольник — давайте посмотрим правде в глаза — покажет победно скалящуюся Сару Пейлин с застрявшими в волосах конфетти). Но сейчас он один на один с глухим молчанием телевизора; с бархатным очарованием мрака и тишины (нарушаемой только громыханием машин за окном да непонятно к кому обращенным женским криком: "И чтобы никогда, ясно, никогда, никогда, никогда...).

Мир идет к своему концу. Не без помощи Маккейна и Пейлин. Тайлер чувствует — отдавая себе в этом отчет — слабое тошнотное удовлетворение: он хотя бы окажется прав.

Но пока даже грядущая катастрофа отодвинулась вдаль. Сейчас Тайлер снова на плаву, и все благодаря помощнику, приятелю из одного удивительно симпатичного конвертика. Осталось меньше одной песни, и все. Дело будет сделано. Он снова будет собой недоволен, не сумеет в полной мере передать своей любви к безумной надежде, но он поставит точку, завершит нечто, что заживет в несравненно более широком мире, чем компания гостей на совершающемся в гостиной бракосочетании или кучка выпивох в баре; об этом будут судить — кто сурово, а кто великодушно — или пропускать это мимо ушей люди, которые Тайлера не знают, не любят, которым плевать на нынешние и былые его мучения, у которых никогда не возникнет желания побольнее его ударить, или протянуть руку помощи, или встретиться с ним в Калифорнии.

Это нечто войдет в мир сокрушительного, очистительного безразличия. Но главное, что войдет и уже никогда не исчезнет бесследно, как если бы не существовало вовсе.

Закончив, он разыщет Лиз. И не станет тащить ее на этот никому не нужный фестиваль артишоков в Кастровилле, тем более что до него (спасибо тебе,

"Гугл") еще целых полгода. Это был простой треп за чашкой кофе, неудачная попытка с вывертом пошутить. Он будет счастлив, гуляя с Лиз в тени секвой, глядя, как орлы выхватывают рыбин из изумрудных волн Тихого океана. Он будет вполне счастлив. Надежда на это вдруг кажется ему небеспочвенной.

Может, из этого и складывается его последняя песня? Из мечты о секвойях и орлах; о женщине, которую он будет яростно любить, с которой сможет вступить в эротическую битву из любовных фантазий (ведь фантазия интереснее, чем исход) стареющего воина.

Или она тоже выйдет сентиментальной — просто еще одна песня Тайлера? О тоске по женщине, гуляющей среди древних деревьев под небесами, в которых кружат орлы. Ему с ужасающей ясностью видно, как просто все испортить; как легко сочинить очередную меланхоличную балладу про женщину в лесах, про покой и чистоту, что ждут тебя в комнате со свечами, в другом районе города, на противоположном побережье...

Но не входит ли песня в комнату прямо сейчас, сию минуту? Недаром колыхнулся воздух. Главное — Тайлер давно это знает — не суетиться, лежать себе покойником на диване, единственной его земной собственности, и ждать, как ждет спящий начала сновидений.

Вдруг — нельзя отметать такую вероятность — это будет та песня, что режет начисто, чертит набело и наконец что-то значит; та, что сорвет избитую романтическую оболочку и обнажит под ней живую, кроваво-красную преданность, прочнее обычной привязанности, глубже подростковой страсти; вожделение, ледяное, беспорочное и необоримое, как снег. Вдруг она окажется садистски-нежной оплеухой, прозвучавшей вместо пустопорожних восхвалений. Раной, которая не хочет исцеления; тем поиском, когда ищущий с самого начала знает, что не найдет сокровищ, и тем не менее все неотступнее стремится открыть в принципе неоткрываемое, осознавая, что дело в самом поиске, а не в том мгновении, когда свет фонарика озарит погребальную камеру, забитую золотом и алебастром.

Мертвым, если у мертвых остается хотя бы крупица сознания, наверняка так же одиноко лежать погребенными, когда жизнь где-то там идет своим чередом уже без них. Баррет где-то там с Сэмом, и Тайлер знает (он достаточно прожил с ним бок о бок), что в это самый момент происходит пресуществление; что косная, неодушевленная материя хлеба, каковым всегда были для Баррета мужчины, наполняется жизнью; что часы, проведенные в жестком соприкосновении с безжалостным деревом церковной скамьи, в конце концов возымели действие. И пришла любовь. Или, что, быть может, точнее, Баррет пришел к любви. И эта любовь — к человеку, который уведет его с собой; который заменит Тайлера, в отличие от череды героев безнадежных романов, никогда (с каких же древних времен Тайлер об этом знает?) не угрожавших — сколько-нибудь серьезно или надолго — крепости братских уз.

Мы редко попадаем в тот пункт назначения, к которому стремимся, ведь так? Нам кажется, что наши надежды не сбываются, но, скорее всего, мы просто не на то надеемся. И откуда у нас — у всего рода человеческого — взялась такая странная, извращенная привычка?

Благословляю тебя, Баррет. Благословляю как твой старший брат из квартиры на четвертом этаже дома на Авеню Си. Я, понятное дело, не глаз в небе. Но послушай, мы же можем делиться только тем, что имеем, согласен? Так что лови благословение слегка заторчавшего брата, который не может дать тебе любви, но может — близость и освобождение. Я хорошо тебя знаю. И, зная про тебя все, я освобождаю тебя.

Говоришь, тебе подмигнули небеса? Вполне возможно. Может, и вправду подмигнули. А может, это были просто самолет и облако. Но если небеса кому-то подмигивают, то выбирают далеко не самых очевидных адресатов; тех, кто роется среди никому не нужного хлама; кто предпочитает тропку проспекту и дыру в изгороди воротам с герольдами на башне. Поэтому-то, наверно, и нет достоверных свидетельств. Откуда им взяться, раз мироздание подмигивает только тем, кому все равно никто не поверит.

Оно так шутит? Получается этакая шутка в шутке. Откровение дается только тем, кто слишком беден и незаметен, чтобы считаться достойными его.

Тайлер лежит на диване так, что одно из двух окон гостиной приходится ровно посередине между его ступней. Ему видно несколько освещенных окон и что-то похожее на одинокую звезду, такую яркую, что она заметна даже на нью-йоркском небе. Или, может быть, это самолет. Из Кеннеди и Ла-Гуардии они взлетают едва ли не каждые десять минут.

Сколько Тайлер себя помнит, его тянуло к окнам; он с раннего детства представлял, как, прыгнув с подоконника, не падает камнем, а взмывает вверх, поднимается все выше и выше, пока созвездия не станут ближе уличных огней.

Ты стараешься пропеть свой путь ближе к звездам (ну или к самолетам, они олицетворяют собой звезды), и странная красота твоего пути — в их невозможной удаленности, что верно, даже если ты *умеешь* летать.

Кому нужна звезда, до которой рукой подать? Разве станет кто-то лелеять мечту о достижимом?

Это верно о песне и о женщине. Ты можешь вообразить себе песню, но не можешь ее спеть. То же и с женщиной.

Или это тоже романтическая хрень?

Лиз сама то ли стала, то ли вот-вот станет точкой света в небе, вылетев с толпой других пассажиров на запад из аэропорта имени Кеннеди. Смотрит ли она сейчас из своего ночного неба вниз на огни Нью-Йорка? Думает ли она о Тайлере (уже десять тысяч футов, а самолет все продолжает подниматься), как Тайлер думает о ней?

За мыслями о Лиз, за мыслями о звездах и самолетных огнях в ночном небе к Тайлеру внезапно приходит уверенность: Лиз смотрит на него, как он сейчас смотрит на нее, сквозь потолок, сквозь три квартиры, которые громоздятся над ним и где другие, незнакомые ему люди раздумывают, напомнить ли домашним, что продукты в доме подходят к концу, обсуждают, стоило ли так тратиться на постельное белье (и что это еще за длинноволокнистый египетский хлопок?), или просто — послушай, глянь, что там сегодня вечером по телевизору.

Снова соринка в глазу. Тайлер трет глаз, но она плотно засела в роговице.

Ему приходит на ум: у него уже давно что-то сидит в глазу. Просто иногда он чувствует это острее, чем обычно.

Непрошеное воспоминание (господи, как давно это было!): крошечный кусочек льда, который занесло в комнату… Когда это случилось? Когда Бет умирала в первый раз; когда Тайлер встал из постели и закрыл окно; когда он не сомневался, что сумеет позаботиться обо всем, обо всех…

Неужели эта льдинка осталась с тех пор?

Нет. Глупости. Тайлер заблудился в тумане собственной внушаемости. И ему нравится в нем блуждать.

Он сделал все, о чем его просили. Он любил других так сильно, как только мог. Он видел, как обрел избавление его брат; он исполнил обещание, данное много лет назад призраку, называвшему себя его матерью.

Вдруг этого уже достаточно? Вдруг последняя песня должна остаться незавершенной и своим упорством Тайлер только все испортит? Вдруг окно, так идеально поместившись ровнехонько между расставленными в стороны ступнями, говорит ему: пора лететь?

Тайлер не вполне понимает, то ли он встает с дивана, то ли всего лишь размышляет, что хорошо бы встать.

Так или иначе — тут, быть может, не обошлось без заколдованного дивана, без окна, без того, что между ними всего один шаг, — в комнату проникает нечто — да, нечто, точнее не скажешь; оно вот-вот коснется его лба, нежно и легко, как целуют на ночь. Выдаст ему его последнюю песню, этот прощальный дар, розу, которая начнет увядать, едва коснувшись его подушки. Это будет плач по Бет, переплетенный с балладой для Лиз. Хитростью и обманом песня проникнет в изможденный мозг Тайлера (мозг цирковой обезьянки, уверенной, что ей ничего не стоит сыграть сонату на своей игрушечной гармошке), а потом — коль скоро это последняя и самая блистательная его обманутая надежда, недостижимая цель и вечно уходящая женщина — отпустит его на свободу. И того и гляди Тайлеру тоже подмигнут небеса — песня будет окончена, он снова станет невидимкой. Тогда он сможет ответить на вечный вопрос окна — остаться в комнате или улететь прочь.

Он остается где был, застыв в неподвижности, в ожидании, в мольбе. Он думает о Лиз, об огнях ее самолета в высоте. Лиз теперь на небе.

Он кричит ей — или только думает, что кричит: эй, Богиня, ты там?

CORPUS 296

Литературно-художественное издание

МАЙКЛ КАННИНГЕМ

СНЕЖНАЯ КОРОЛЕВА

16+

Главный редактор Варвара Горностаева

Художник Андрей Бондаренко

Ведущий редактор Евгения Лавут

Ответственный за выпуск Анна Самойлова

Технический редактор Татьяна Тимошина

Корректор Екатерина Комарова

Верстка Андрей Кондаков

Общероссийский классификатор продукции
ОК-005-93, том 2; 953000 — книги, брошюры

Подписано в печать 28.11.14. Формат 76×108 1/32
Бумага офсетная. Гарнитура *OriginalGaramondC*
Печать офсетная. Усл. печ. л. 16,72
Доп. тираж 2000 экз. Заказ № 8590

Отпечатано в ОАО "Первая Образцовая типография",
Филиал "УЛЬЯНОВСКИЙ ДОМ ПЕЧАТИ"
432980, г. Ульяновск, ул. Гончарова, 14

ООО "Издательство АСТ"
129085 г. Москва, Звездный бульвар, д. 21, строение 3, комната 5
Наш электронный адрес: www.ast.ru
E-mail: astpub@aha.ru

"Баспа Аста" деген ООО
129085 г. Мәскеу, жұлдызды гүлзар, д. 21, 3 құрылым, 5 бөлме
Біздің электрондық мекенжайымыз: www.ast.ru
E-mail: astpub@aha.ru

По вопросам оптовой покупки книг обращаться по адресу:
123317, г. Москва, Пресненская наб., д. 6, стр. 2, БЦ "Империя", а/я №5
Тел.: (499) 951 6000, доб. 574

Қазақстан Республикасында дистрибьютор және өнім бойынша арыз-талаптарды
қабылдаушының өкілі "РДЦ-Алматы" ЖШС, Алматы қ., Домбровский көш., 3"а",
литер Б, офис 1. Тел.: 8 (727) 2 51 59 89,90,91,92, факс: 8 (727) 251 58 12 вн. 107;
E-mail: RDC-Almaty@eksmo.kz
Өнімнің жарамдылық мерзімі шектелмеген